真実を見極めろ！
ウイルスパニック

3分間サバイバル

あかね書房

もくじ

豪華客船の死角

感染→なぜ？

豪華客船キングホエール号はキラキラ輝く青い海の上に、静かに停泊していた。

（本当なら今ごろ、たくさんのお客さんを乗せてクルーズに出ていたはずなのに。）

キングホエール号の責任者であるミナモト氏は、苦虫をかみつぶしたような表情で、保健所の人たちが船内を歩き回るのをながめていた。

ことの起こりは1週間ほど前。

キングホエール号を借りきって行われたパーティーに参加中、気分が悪くなってトイレで吐いてしまったお客さんがいたのだ。そのお客さん――S氏は客室のトイレから出たあと、友だちにつきそわれて病院へ向かった。そして、S氏がノロウイルスに感染していたとわかると、キングホエール号のスタッフたちはほかの客たちを船から降ろし、すぐに船内の消毒を行ったのである。

幸いにも今のところ、お客さんの中からは感染者は出ていない。だが、キングホエール号のスタッフの中から3人も感染者が出てしまったのだ。そこで、保健所の人がそうじや消毒のやり方が適切だったか確認するためにやってきたわけである。

「トイレを筆頭に、食べ物をあつかうキッチンに食堂、客室。らせん階段の手すりも、大理石の床も時間をかけてふいた。最後に、大広間のふかふかのじゅうたんに消毒薬を吹きつけた……と。これで合っていますね？」

保健所の人が、メモを見ながらミナモト氏に確認する。

「はい、そうです。お話ししたように消毒は完璧にやったつもりなので、なぜスタッフから感染者が出てしまったのか、わたしは納得がいかないんです。」

すると、保健所の人は視線を落として言ったのだ。

「お聞きしたかぎり、あなた方はとてもよくやりました。ほとんど完璧だったと思います。一点をのぞけば……。」

保健所の人の言葉には、船内で感染が広がったことのヒントが隠されている。それはどんなことだったのだろうか。

解説　ノロウイルス

ポイントは、船内の広い範囲にしかれていたじゅうたんだ。スタッフは船内をていねいに消毒したが、トイレをそうじしたとき、くつの裏にノロウイルスがついてしまったことには考えがおよばなかった。ウイルスはじゅうたんにくっつき、乾燥し、人が歩くたびに空気中にまき上げられた。スタッフはこうして空気感染してしまったのである。このウイルスは感染力がとても強いので、感染者の使ったトイレをそうじするときは、ウイルスをばらまかないよう細心の注意が必要だ。

ノロウイルスに感染、発症すると、吐き気や腹痛など食中毒の症状を引き起こす。ノロウイルスに汚染された二枚貝（カキなど）が原因になることが多いが、十分に火を通して食べれば危険はない。感染者が十分に手を洗わずに調理をしたことで食品が汚染され、そこから感染が広がるケースもある。

街角のネズミ

危険（きけん）→なぜ？


クレープを食べながら立ち話をしていると、あたしたちの前をネズミが横切った。

「今の、ネズミじゃない？」

モモカはクレープの包み紙を丸めてゴミ箱につっこむと、ネズミが通りすぎていったほうに足を進める。あたしはモモカの肩（かた）をつかんだ。

「やめなよ、気持ち悪い。」

「えー？　ネズミなんてめずらしいじゃん。写真撮（と）っとこうよ。」

モモカはスマホを取り出すと、カメラを起動する。

「モモカは、ペストを知らないの？」

キョトンとしてるモモカに、あたしはかんたんに説明した。

「ペストっていうのは歴史上、何度も流行してたくさんの死者を出している病気だよ。体じゅうにアザみたいなのができて、はだが黒くなるから『黒死病』って呼ばれるんだって。こわいっしょ!? ペストの菌をまき散らすのはネズミなんだよ。」

「ああ、それ聞いたことある。外国の病気じゃないの?」

「日本でもはやったことがあるって。」

「すっごい昔の病気でしょ。」

「でも、撲滅されてないらしいよ。」

「ずいぶんくわしいね。」

「この病気のことを書いた『ペスト』っていう有名な小説があってさ。お姉ちゃんが読んで、いろいろ教えてくれたんだ。」

さっきのネズミが、歩道の縁石のそばにノソノソ出てきた。ネズミは道ばたで立ち止まり、こっちに顔を向けている。

「おとなしいじゃん。」

モモカはスマホをかまえながら、そろそろと近づいていく。

「病気で弱ってるのかもしれないよ。」

「さわったりしないよ。ここから写真撮るだけだってば。」

モモカとネズミの間はもう2、3メートルくらいしかない。あたしはモモカの腕をつかんで引っぱった。

「お願いだからやめて。もしモモカに何かあったら、あたし絶対後悔するから！」


もしこのネズミが病原菌を持っていたとして、この距離から写真を撮るだけでも危険があるのだろうか。

解説 ペスト

フランスの作家、カミュの小説『ペスト』は、パンデミックのおそろしさをリアルに伝える世界的ベストセラーだ。この小説でペストがはやる前ぶれとして書かれた、ネズミの死がいが町じゅうにあふれるシーンによって「ペスト＝ネズミが運ぶ」というイメージが強い。だが、ネズミについたノミもペスト菌の運び屋になりえるのだ。

ノミがペストに感染したネズミの血を吸うと、ペスト菌がとりこまれる。ノミは体長1〜9ミリほどだが、30センチくらいジャンプできるので、はなれたところにいても油断できない。小さいので気がつきにくいのも難点だ。ペストはネズミだけでなくリスやプレーリードッグ、犬やネコも宿主となる。ペストはいまだに根絶されていない。21世紀になってからもアフリカ大陸、東南アジア、アメリカなどでパンデミックが起こっている。よく効く抗生物質はあるが、治療が遅れれば命にかかわることもある病気なのだ。

優秀な料理人

感染→なぜ？

ときは1900年代初頭、アメリカのニューヨークで。

衛生工学の専門家であるジョージのもとに、変わった相談が持ちこまれた。なんでもお金持ちのY家から腸チフスの患者が6人も出たという。この一家にチフス菌をもたらした原因をつきとめてほしいという依頼である。

「いったいどうやって調べたらいいんだろう。」

ジョージは考えたあげく、Y家に出入りしている人をかたっぱしから調べることにした。

（その人たちの周辺を探り、腸チフスにかかった人がいないか調査していけば、いずれ答えが見つかるにちがいない。）

食料品店の配達人や、銀行員、親しい友人たち、そして彼らの家族たち。ジョージはたくさんの家を訪ねて歩いたが、なかなか感染源にたどり着けない。

困り果てていたとき、ジョージはY家の女主人から、少し前まで住みこみで働いていた女性の存在を知らされたのである。彼女の名はメアリー・マローン。腸チフスの患者が出たあとに、やめてしまったという。

「メアリーのことをお話しするのをすっかり忘れていましたわ。今はよその家で働いています。うちでも手放したくなかったんですけどね。メアリーは性格もいいし、信頼できる人なんですよ。料理が上手でしたしね。」

女主人は、メアリーをとても高く評価しているようだった。

「そうですか。ぜひメアリーさんに会ってみたいので、現在の勤め先を教えていただけますか？　それから、前に勤めていたお宅も。」

「ええ、かまいませんわ。でも、メアリーは健康そのものでしたからね。腸チフスにかかっていたはずはないでしょうけど。」


ジョージは、メアリーがかつて住みこんでいた家を訪ね歩いた。

その結果、メアリーが過去10年ほどの間にやとわれていた8家族のうち7軒で腸チフスの患者が発生したことがわかったのである。感染者は合計22人、そのうち1人は死亡していた。

（さすがにぐうぜんとは思えない。メアリーは家族の食事を作る料理人だし……。早く本人に会わなくては！）


確かにメアリーはまったく健康に見えた。

本人も健康に自信を持っているようで、ジョージが腸チフスの検査をさせてほしいと言うと、メアリーはふんがいしてまくし立てた。

「検査なんていやよ！　見ての通りわたしはこんなに元気だし、今まで一度だって腸チフスなんかにかかったことはないんですからね。」

「ですが、あなたがこれまでに住んだ家で、22人もの感染者が出ているんですよ。」

「ばかばかしい！　もしわたしが腸チフスにかかっていたとして、10年もかかりっぱなしのはずがないでしょう⁉　帰ってちょうだい！」

メアリーはジョージをたたき出してしまった。

ジョージは、目の前でバタンと閉められたドアに向かってつぶやいた。

「いいえ。でも、そういう可能性が……あるんです。」

メアリーが料理人として働いてきた家で、合計22人もの感染者が出たのはただのぐうぜんとは思えない。だが、10年もの間、保菌者でい続ける可能性はあるのだろうか。

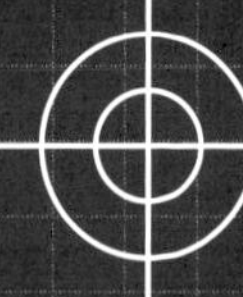

解説　腸チフス　保菌者

　このあと、ジョージは警官を連れて訪問し、メアリーに検査を受けてもらうことに成功した。その結果、メアリーは腸チフスを発症したことはないが、保菌者であることがわかったのである。

　メアリーの死後（死亡は腸チフスが原因ではない）、解剖によってわかったことだが、メアリーの場合、チフス菌が胆のうだけに感染していた。症状が出ないまま菌が胆のうに定着してしまい、一生、チフス菌が胆汁に混ざって腸に流れ出し、便とともに排出されていたのだ。

　チフス菌は主に、食べ物や水に混ざって、口から体内に入る。メアリーが作る料理を通して、彼女の手についたわずかなチフス菌が多くの人たちの体内に侵入していたのである。

　これは事実をもとにした話。メアリーはチフス菌を保有していることがわかったあと、2年もの間、島に隔離されていたが、裁判を起こして「食品を扱う仕事につかない」「住居がわかるようにしておく」という条件つきで自由を勝ち取った。

だが、数年後、メアリーが名前を変えてニューヨークの産婦人科病院で働いていたことが判明。この病院でも腸チフスの集団感染が起こってしまったのである。

約束を破り、再び感染を広めてしまったのはもちろん悪いことだ。しかし、この時代には、まだ「保菌していても症状が出ない人がいる」という知識は医療関係者にさえ行きわたっていなかった。メアリーが事実を信じられなかったのも十分想像できる。メアリーは裁判を起こしたことで有名になってしまったが、彼女のような保菌者はほかにもいたと考えられている。

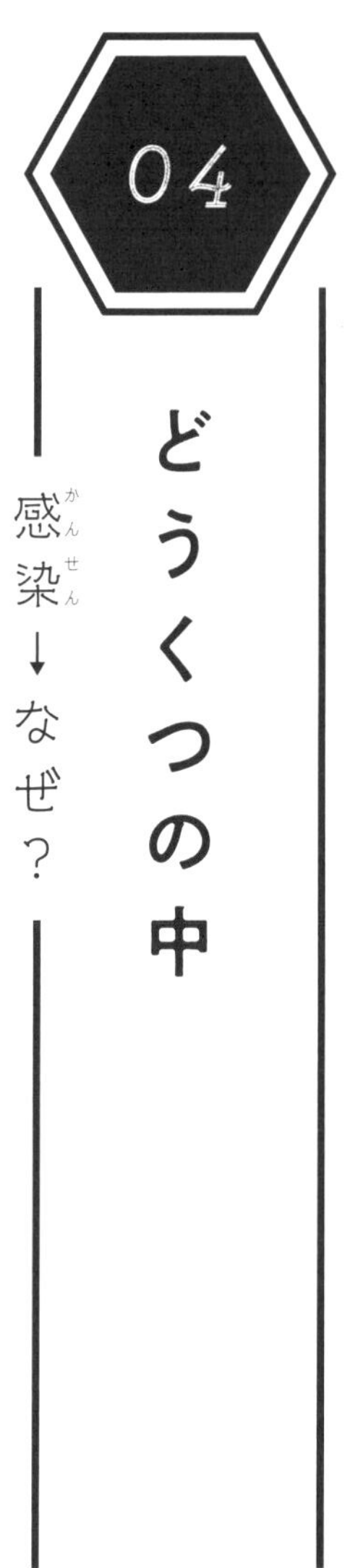

04 どうくつの中

感染→なぜ？

X国ウイルス研究所のボダム博士は、研究室に入ってきた助手のジャンを迎えると、重々しい表情で口を開いた。

「ジャン、Z病院に運びこまれた10歳のアランくんだがね、エボラウイルスに感染していたことがわかったよ。」

「エボラ出血熱ですか。それは大変だ！」

エボラ出血熱は現在、世界でもっともおそろしい感染症といわれているもののひとつだ。まず発熱や嘔吐、下痢などの症状が出て、鼻血や歯ぐきからの出血が起こる。そして、おそるべきスピードで体じゅうの組織が破壊されていく。

ジャンの心は、エボラ出血熱の患者をこの目で見てみたいという医学的な好奇心と、恐怖心でせめぎ合っていた。

「患者は家族全員でアフリカに観光旅行に行っていたんだ。検査の結果、ほかの家族が感染していなかったのは不幸中の幸いだがね。」

「そうですか。それは良かった。」

「アランくんとご両親、お姉さんと妹さんは、旅行中ずっといっしょに行動して同じものを食べていたそうだ。感染源は調査中だが、どうくつに行ったことが原因じゃないかと考えている。」

ジャンは、アランの服や所持品をひとつずつ密封したビニール袋をながめた。小型のメモ帳、ボールペン、スマートフォン、とがった白い小石、小さな銀の玉、キャンディーの包み紙……これらはズボンのポケットに入っていたものだろう。

「ご両親によれば、どうくつの中ではコウモリが飛び回っていたそうだ。エボラは、ウイルスを持ったコウモリが原因と言われているからな。」

「アランくんはコウモリにさわろうとしてかまれたのでしょうか？」

「わたしもその線を疑ったが、ご両親は彼はそんなことはしなかったと言うんだ。あらかじめ野生動物にはさわらないように注意してあったそうだし。」

「本当ですかね？」

「スマートフォンにどうくつの中を撮影した動画が残っていたがね。コウモリは撮れてなくて、映っているのは壁ばかりだったよ。」

「ふうん。それにしても家族の中で、彼だけが感染したのはなぜなんでしょうね。」

ジャンは、アランの持ち物をだまってじっとながめた。そのうちに、ふとひらめいたことがあった。

「ボダム博士。もしかして……アランくんの指に傷はありませんでしたか？」


一家の中でアランくんだけが感染した理由を、ジャンは彼の持ち物から推理した。ジャンはどのような可能性に気づいたのだろうか。

解説　エボラウイルス

エボラウイルスが引き起こすエボラ出血熱は、おそろしい感染症だ。最初に確認されたのは1976年だが、まだワクチンは開発されていない。症状の進行が早く、発症すると死亡する確率はかなり高いとされる。中央アフリカの風土病で、ウイルスを持ったコウモリ、そのフンや尿にふれたことから感染したケースがよく知られている。

両親の証言にあるように、アランはコウモリに直接ふれてはいない。ジャンが注目したのは、アランがポケットに入れていた「とがった白い小石」である。それは鍾乳石のかけらだった。アランはどうくつ内部に自然にできた鍾乳石を指でけずり取り、そのときに指に傷を作った。その傷口から、どうくつの壁にこびりついていたコウモリのフンを介してウイルスが入りこんだのである。感染症の心配がある地域では、野生動物に直接さわらないだけでなく、ウイルスの侵入口となる傷を作らないように注意することも大切なのだ。

うっかり者の名医

危険→なぜ？

「ボダム博士、受付から電話です。サラフ博士と名乗る男性が着いたそうなんですが、身分証明書を持っていないので本人かどうか確認できず、困っているそうで。」

「わかった。わたしが確認に行くと伝えてくれ。」

ボダム博士は、受付へ急いだ。エボラウイルスに感染したアラン少年が入院しているＺ病院は、なみなみならぬ緊張感に包まれていた。病室が用意された病棟に入ることを許可されたのは、院内から選抜された一流の医療スタッフだけである。受付担当者は来客を厳重にチェックし、関係者以外は通さないようにきびしく言いつけられていた。

サラフ博士は、アランの治療チームに参加するためにわざわざとなりのY国から来てくれたのだ。エボラ出血熱の患者を回復させた実績を持つ彼は、頼もしい援軍である。

「おかしいな。入館証、確かに持ってきたはずなんだよ。うーん、ホテルに忘れてきちゃったのかな。ね、通してよ。ぼくは院長とボダム博士からじきじきに招かれたんだって。ウソを言ってるように見える？　見えないでしょ？　この目を見てよ、正直者の目でしょ？　ハハハ！」

「そう言われても、入館証をお持ちでない方は通してはいけない決まりなんです。」

受付の男性とサラフ博士が押し問答をしているところに、ボダム博士はあわててかけ寄った。そして、受付の来客簿に「この人物はまちがいなくサラフ博士であることを証明します」とボダム氏のサインを入れて一筆書き、ようやく仮の入館証を発行してもらうことができた。

「いやになっちゃうなぁ。まあ最近の若い人がぼくの顔を知らないのもしかたないか。ハハハ！」

ボダム博士は苦笑いした。サラフ博士は優秀な医者だが、おおざっぱでだらしないため、日常生活ではときどきトラブルを起こすことがある。

「サラフ博士、お手間をかけてすみませんでしたね。」

しかし、サラフ博士はそれにはこたえず、ブツブツひとりごとをつぶやきながらポケットを探り始めた。

「ああ、そうだ。確か、忘れないようにポケットに入れたはずなんだ。」

ポケットから右手を出したはずみに、たくさんのメモがバラバラと散らばった。

サラフ博士は床にはいつくばって拾い上げ、その中から1枚のカードを見つけて、ボダム博士の前につき出した。

「ほら、入館証ですよ！　やっぱりここにあったんだ。ハハハ！」

（もっと早く思い出してくれればよかったのに。）

ボダム博士はすっかりあきれてしまった。

「ハハハ！　ホッとしたよ。ああ、スッキリした。これから力を合わせていきましょう！」

サラフ博士がにこやかに差し出した右手を、ボダム博士はじっと見つめた。

（サラフ博士のきげんを損ねたくはないが……この人は本当に不注意なところがある。今のうちにビシッと言っておかないと。）

ボダム博士は腕組みをすると、サラフ博士の顔をのぞきこんだ。

「サラフ博士、これからはもっと慎重になってください。あなたの軽はずみな行動は、チームのみんなを危険にさらすことになりかねません。わたしの言っている意味がわからないなら……どうぞ、すぐY国にお帰りください。」

ボダム博士は、サラフ博士のどんな行動を「危険」とみなしたのだろうか。

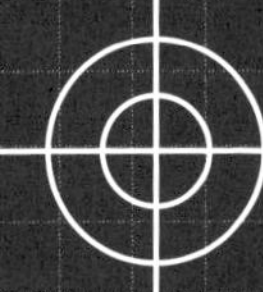

解説　院内感染

サラフ博士は、落ちたメモや入館証を拾い上げるときに、床にさわっているはずだ。仮に床に直接ふれていないとしても、床に落ちた紙にさわっているのだから同じこと。命にかかわる感染症の患者がいる病院で、床にさわった手で他人と握手しようとするのは常識はずれである。ボダム博士は、サラフ博士にそれを気づかせるために、こんな言い方をしたのだ。腕組みをしてみせたのは、「握手を拒否する」態度のアピールである。

ちょっとした油断が、感染を広げる原因になってしまう。自分のいる環境をよく考えて行動することが必要だ。

06 乱暴な重症患者

危険→なぜ？

Z病院にモーガンが救急車で運びこまれたとき、彼がとても危険な状態にあるのはだれの目にもあきらかだった。顔色はひどく悪い。ほおがげっそりとして、うすく開いた目は赤く充血している。

（これは具合が悪くなってからかなり日がたっているんじゃないか。）

ケラー医師は看護師たちに指示を出しながら、モーガンの様子を観察した。

モーガンの服はうすよごれ、何日も着がえをしていないように見える。シャツにはところどころ、茶色いしみがついている。

（これは血液か……？）

救急隊員が作成したカルテに目を落とすと、彼は自宅で血を吐いたとある。

(胃かいようか？　だが、熱も高い。もしかすると何かの感染症かも……。)

ケラー医師はモーガンの脈を測ろうと手をとった。すると、ぐったりしていた彼がいきなり起き上がったのである。

「ここはどこだ⁉　オレにさわるな！　家に帰る！」

「あなたが救急車を呼んだので、病院に運ばれたんですよ。安心してください。もうだいじょうぶですよ。」

ケラー医師はモーガンを落ち着かせようと、やさしく声をかけた。熱のために意識がもうろうとし、自分で救急車を呼んでおきながら混乱する患者はたまにいるものだ。

しかし、モーガンはケラー医師の手を乱暴にふりはらった。

「うるさい！　さわるんじゃない！」

獲物にかみつく獣のような目つきに、ケラー医師は一瞬ひるんだ。

そのすきをついてモーガンはサッと立ち上がり、ふらつきながら走り出したが、看護師が運んできた点滴のスタンドにぶつかって倒れてしまった。

ケラー医師はあわててモーガンを押さえこんだ。

「おーい、だれか、鎮静剤を用意してくれ！」


ケラー医師が、鎮静剤が効いて眠っているモーガンのそばにこしかけていると、ネリー看護師がやってきた。

「ケラー先生、わたし、モーガンさんと高校でクラスメイトだったんです。彼のことはよく知っているつもりですが……いくら病気でもおかしいと思って。」

「おかしいって、何が？」

「彼はとてもおだやかで人なつこい性格なんです。街でばったり会うと、いつも明るく話しかけてくるんですよ。お互い、仕事のことをしゃべったりね。モーガンはサルの飼育場で働いているんです。」

「ふうん……そう。」

ケラー医師は、片方の眉をピクリと上げた。

「今の彼は……まるで別人みたい。やせただけじゃなくて、顔つきがちがうんです。顔っていうか、性格そのものが変わっちゃったみたいな。」

ケラー医師はネリー看護師のうったえを聞くと、きびしい顔つきで立ち上がった。

「ネリーくん、今すぐここを出ていってくれ！　早く！」

ケラー医師は、なぜネリー看護師を追い出したのだろうか。

解説　マールブルグウイルス

ケラー医師は、患者をよく知るネリー看護師の「別人みたい」という言葉から、あるめずらしい感染症を疑った。そこで感染の危険を考えて、ネリーを病室から追い出したのだ。検査をしてみると、ケラー医師がにらんだ通り、モーガンはマールブルグウイルスに感染していた。

マールブルグウイルスは、エボラウイルスの仲間。症状はエボラ出血熱に似ているが、マールブルグ病にはウイルスが脳をおかすという特徴がある。性格が攻撃的になり、きょくたんに人をさけたり反抗的な態度をとったりすることがあるという。

患者の身辺の人物からの聞き取りによって、モーガンは実験動物のサルを飼育する仕事についていること、このサルがマールブルグウイルスの感染源であることがわかった。飼育場はすぐに閉鎖され、感染の拡大を防ぐことに成功したという。この話はじっさいにあったエピソードをもとにしたものである。

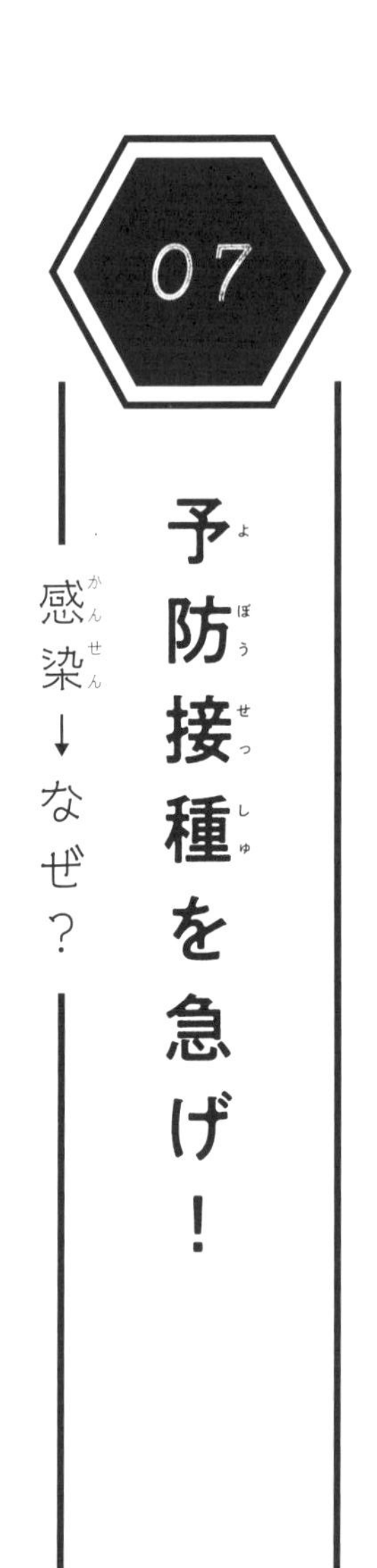

07 予防接種を急げ！

感染→なぜ？

19XX年　8月4日（水）

やっとK国のヘリコプターが到着して、マラリアの予防接種ワクチンが届いた。

村長に呼びかけてもらうと、村の小さな病院にはたくさんの人々が集まってきた。ウイルスを持った蚊を殺すための殺虫剤も効いているといいが。村の人たちがおそろしい蚊に刺される前に、できるだけ早く予防接種をすませなければ。

きょうは朝から晩まで、注射を打ちっぱなしだった。打っても打っても行列の終わりが見えないほど。

休けいもほとんどとらず、注射器をにぎりっぱなし。注射を打っては針をぬぐい、アンプルを交換し、「はい、次の方！」……ってね。一度は手が汗ですべって注射器を落としてしまった。足の甲に落ちてチクッとしたけど、貴重な針が折れなくて良かった。こんな田舎の村ではいろんな物が不足してるから、気をつけなくては。

ああ、よく働いた。目の回るような一日。あしたもがんばろう。

半年後。この業務日誌を書いたニール看護師は、街の大きな病院で検査を受けていた。体がだるく、目まいや貧血、発熱などの体調不良が長く続いたためだ。

「HIV？　何かのまちがいじゃないですか？」

医者から病名を告げられると、ニールはおどろいて聞き返した。

「いえ、まちがいはありません。どこで感染したか、心当たりはありませんか？

輸血や手術をしたことは？」

「いいえ。輸血も手術も経験はありません。HIVウイルスとは、まるで心当たりがないです。マラリアならともかく……といっても、とっくにマラリアの潜伏期間はすぎてますね。ぼくは半年前、マラリアが流行したD村で村の人たちに予防接種をしていたんです。」

「D村で？　これはぐうぜんとは思えないな。」

医者が前に乗り出してきた。

「どういう意味ですか？」

「じつはD村でつい先日、HIVの感染者が確認されたんです。患者は小さい子どもで、感染ルートを調べているところなんですよ。」

医者は、ニールがD村でワクチンを接種したときに業務日誌をつけていたと知ると、すぐにそれを読ませてほしいと頼んだ。

翌日。医者はニールに業務日誌を返すと、難しい顔で言った。

「ありがとう。あなたが細かく記録をつけていたおかげで、重要な事実を知ることができました。まずは、このときに予防接種を受けた人、全員にHIV検査を受けてもらわなければいけませんね……。」

ニールの日誌から、医者はニールがＨＩＶに感染した理由をつかんだらしい。その理由とはなんだろうか。

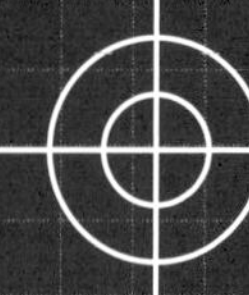

解説　注射針の使い回し

　ウイルス保有者の血液が体内に入ることで感染する病気がある。主な原因は、輸血や注射針の使い回しだ。ニールたちは注射針を軽くふいただけで、多くの人に使い回していた。ところが、村人の中にＨＩＶウイルスの保有者がいたため、注射針によってＨＩＶウイルスは多くの人にばらまかれてしまった。そして、ニールも足に注射器を落としたときに感染したのである。

　医者や看護師がうっかり自分の体に注射針をさしてしまう「針刺し事故」は、ときどき医療現場で起こっている。針刺し事故をさけるため、病院ではサンダルのかわりにスニーカーをはくように指導されている。

　現代の日本では注射針の使い回しはありえないので、安心してほしい。ただし、世界のまずしい国では、近年も注射針の使い回しによって感染したケースが報告されている。医療の場では、衛生環境を整えることが何より大切なのだ。

乳しぼり娘の秘密

予防→なぜ？

ときは1770年代、イギリスで天然痘が大流行していたころのこと。

「それでは、また。お大事に。」

ジェンナー医師は、患者の家のとびらを閉めると、小さくため息をついた。

(今の患者は、発疹の中に出血があった。おそらく長くないだろうな。)

天然痘という病気は大昔からたびたび流行し、世界中で何百万人もの死者を出してきた。発熱など風邪に似た症状から始まり、体じゅうに発疹ができるのが天然痘の特徴である。

発疹は赤紫色にふくれ上がり、やがて破裂する。発疹から出た液体やかさぶた、せきやくしゃみなどで人から人へ感染しやすいのがやっかいだ。

　夕日に照らされた道を歩きながら、ジェンナーは牛を小屋に追い立てている女性の姿を目に止めた。

（そういえば、牛の乳しぼりの仕事をしている女性は天然痘にかからない、といううわさがあったな。）

　まるで歯が立たない病気の流行中には、さまざまな「うわさ」がとびかうものだ。

（だけど、もしかしたら。ただのうわさではないかもしれない。）

　わらにもすがる気持ちで、ジェンナーは牛小屋のほうへ近づいていった。

「サラ、こんにちは。」

「あら、ジェンナー先生。久しぶりですね。」

「きょうは往診の帰りでね。家族のみなさんはお元気ですか？」

　言いながら、ジェンナーは息をのんだ。サラの両腕に、大きな発疹ができていたからだ。発疹は水ぶくれになり、今にも破れそうだ。

　サラは、ジェンナー医師の視線に気づいて言った。

「天然痘と似てますけど、これは牛痘なんですよ。牛の世話をしていると、どうしてもうつってしまうんです。乳しぼりをしているから、うちの者はみんな一度は牛痘にかかってますね。」

「そうですか。」

ジェンナー医師は、発疹を見つめた。牛痘は、牛がかかる病気だ。乳牛の、主に乳房などに発疹ができる病気で、牛同士だけでなく人間にもうつる。発疹が出ると発熱や頭痛などが起こることもあるが、重くはならない。牛も人間も死ぬことはなく、牛乳にも害はない。

「サラ。そういえば、乳しぼりの仕事をしている人は天然痘にかからないといううわさがあるが、きみはどう思う？」

「確かにこれだけ流行しているのに、うちの者で天然痘にかかった人は一人もいませんね。うちが乳牛を分けているあの牧場の人も、それから……。」

サラはいくつかの牧場の名前をあげた。

「ふむ、そうか。ありがとう。」

（牛乳に、天然痘を予防する働きがあるのか？　いや、それはちがうな。）

　そのとき、ジェンナーはあることを思いついた。

「サラ、頼みがあるんだがね……。」


　村の人々は、ジェンナー医師の医院を気味悪そうにながめていた。

「聞いたか？　ジェンナー先生、サラの腕の水ぶくれから出た液体を取らせてくれって頼んで、大事に持って帰ったんだってよ。」

「うへぇ。いったい何を考えてるんだろう。」

「あの液体にさわると病気がうつるんだろ？　ジェンナー先生は、人殺しの薬を作ってるんじゃねえか？」


　ジェンナー医師は医院の中で一人、笑みをうかべていた。

「これで世界を変えられるかもしれない。あとは、これをだれに接種するかだ……。」

窓を開けると、手にしたガラスビンの中の液体が太陽を受けてキラキラ輝く。
彼の姿を見ると、立ち話をしていた人々はちりぢりに逃げていった。

ジェンナー医師は「乳しぼりの仕事をしている人は天然痘にかからない」といううわさから何かを思いついたようだ。彼は牛痘の発疹から出た膿みで何をしようとしているのだろうか。

解説　ワクチンの開発

これは本当にあったことをもとにした話。エドワード・ジェンナーは人類史上、初めてワクチンを作り出した人物である。ジェンナーは、「乳しぼりの仕事をしている人は天然痘にかからない」といううわさと、「乳しぼりをしている人の多くは牛痘にかかっている」ことを結び合わせて考えた。そして「牛痘に感染すれば、天然痘にかからなくなるのでは」と推理したのだ。

「牛痘ウイルス（発疹から採取した液体）を人に注入し、そのあとで天然痘ウイルス（発疹から採取した液体）を注入する」というテストを行ったところ、天然痘の発症は起こらなかった。彼の想像が正しかったことが証明されたのである。病気にかからないために、その病気と同種の弱いウイルスをあらかじめ注射するのが「体に病気の免疫をつける『予防接種』」である。まだだれも「ウイルス」というものを知らなかった時代。ジェンナーの発見した方法は医学界に広まり、以後さまざまなワクチンが開発されるようになっていく。

ワクチン移送大作戦

予防→なぜ？

ジェンナーの考え出した、牛痘の発疹から天然痘ワクチンをつくる方法は世界中に広まっていった。とはいえ、1800年代に入っても天然痘はまだ世界中で猛威をふるっていた。そんな中、スペインのある医師は、国王からじきじきにこんな命令を受けたのである。

「わが国の、各地の植民地でも天然痘の死者がたくさん出ているらしい。あのワクチンを使って天然痘の流行を止めてくれ。」

このころスペインは、現在のメキシコやフィリピンなど、遠くはなれた地域に領土を持っていた。1400年代なかばごろから始まった「大航海時代」、スペインやポルトガルをはじめとするヨーロッパの人々が、盛んに船でアフリカやアジア、アメリカ大陸へ出かけていったためだ。

（確かに牛痘法の効き目は信頼できるんだが……。）

医師は頭をかかえていた。

当時、船での航海は今では考えられないほどの日数がかかった。スペインからメキシコへは、数か月はかかると思われた。なにしろ船は動力のない帆船だったし、現在位置や航路を計算する機器も未発達の時代である。

（航海している間に、発疹から採取した液体はくさってしまうしなあ。）

ワクチンを長期保存できる技術は、この時代にはない。

「かんたんな話だ。牛痘を発症させた人を船に乗せていけばいいじゃないか。」

こうアドバイスをしてくれた人もあった。

「いや、目的地に着く前に治ってしまうよ。」

医師はため息をついた。

（こうしている間にも、植民地ではどんどん天然痘が広がっている。なんとかしなければ。)


1803年の11月。いよいよ出発の日が来た。

メキシコを目指して船が港をはなれると、医師はイザベルの姿を探した。彼女は、船に乗りこんだ22人の子どもたちの世話役として同行するのだ。

「イザベルさん、長旅になりますが、よろしく頼みますよ。」

イザベルはほほえんで言った。

「まかせてください。子どもが全員元気で帰国できるよう、全力を尽くします。」


医師は、どんな方法を考え出したのか。船にたくさんの子どもが乗っているのはなぜだろうか。

解説　予防接種

まず、牛痘の水ぶくれから採取した液体を1～2人に接種し、牛痘に感染させる。それが治ってしまわないうちにその子の発疹から液体を取り、別の子どもに接種する。医者は長い航海の間、この「感染リレー」を次々にくりかえしたのだ。

驚いたことに、これも事実にもとづくエピソード。このとき選ばれたのは、天然痘にかかったことのない、身寄りのない子どもたちである。現代では信じられないことだが、この航海に同行したイザベルという女性は、自分の息子もこのミッションに参加させていたという。イザベルが乗船したすべての子どもたちに気を配り、母親のようにやさしく接していたと記録に残されているのにホッとする。

勝利の前夜に

感染→なぜ？

1978年、8月。ヨーロッパのとある国にて。

「本当に長かったな……。」

「ああ、ついに人類は天然痘に勝ったんだ！」

L氏とR氏は、しっかりと握手をした。

2人は「天然痘を地球上から根絶する」という目標のために設立された国際的な団体に所属し、いっしょに長年働いてきた仲間である。

天然痘は、昔から世界中で人類を苦しめてきた感染症だ。特にヨーロッパでの流行が多く、1700年代には5000万人もの人々が天然痘で命を落としている。

１７９６年にイギリス人のジェンナーが牛痘による天然痘の予防法を発見。これを改良したワクチンの予防接種が広まるにつれて、患者はしだいに減っていった。１９５８年にＷＨＯ（世界保健機関）の呼びかけで「天然痘根絶計画」が開始され、１９７０年代に入ると、世界各地で続々と「根絶」が発表され始めた。Ｌ氏とＲ氏は最後に残った流行地、アフリカに乗りこみ、天然痘の感染者をゼロにするための活動をしたのである。

主な対策は３つある。患者が発見されたらすぐに関係機関に知らせること。感染が広がらないように患者を隔離すること。患者の身近にいた人にワクチンを打つこと。この３つの対策を徹底していく。

感染者が、ウイルスの潜伏期間中にどんな場所に行き、だれと接触したかを聞き出す感染ルートの調査は骨がおれる仕事だった。しかし、たんねんに感染源を探り、発症の可能性をつぶしていくことで天然痘はなくなっていったのだ。

１９７７年、10月にソマリアで発症者が１人出たのを最後に、もう半年以上天然痘患者は出ていない。

「天然痘根絶宣言が出るのもそろそろだな。」

「世界からウイルス感染症が根絶されるのは初めてのことだからな。これは人類の科学の大勝利だ！」

「しかし、まだ研究者には仕事が残されているがね。天然痘ウイルスの正体はなんなのかをくわしく調べることも必要だろう。」

2人は、感染症について、またアフリカの流行地で見聞きしたことなどを夜がふけるまで熱く語り合っていた。


次の朝。L氏はR氏からの電話で目を覚ました。

「おい、大変だ！ イギリスで天然痘患者が発生したそうなんだ。知り合いから極秘情報ということで聞いたんだが……。」

「しかも、なんでイギリスで……？」

イギリスといえば、牛痘法を発見したジェンナーの出身地。かなり長い間、天然痘患者は出ていないはずだ。今ごろになってイギリスで患者が出たとはどういうわけなのか。

「われわれのように流行地で活動したイギリス人がウイルスを持ち帰ったのか？　いや、ワクチンを打っているから感染するはずはないし……。」

R氏は考えをめぐらした。

「いや……ほかにも可能性はあるね。ウイルス研究が進んでいる国だからこその可能性が。」

長い間天然痘患者の出ていないイギリスで感染者が出た。R氏の考えた「ウイルス研究が進んでいる国だからこその可能性」とは何を意味しているのだろうか。

解説　天然痘の根絶

1977年10月のソマリアで発生した患者が、歴史上最後の「自然状態での天然痘患者」と記録されている。この話は事実をもとにしているが、1978年の8月にイギリスで発症したのは「自然ではない」、つまり人間のミスによって生まれた感染者だったのだ。

感染したジャネットという女性は、天然痘ウイルスに関する研究を行う実験室の上の階で働いていた。実験室からウイルスが外にもれたために感染してしまったのである。この事件をきっかけに、ウイルスの管理についての決まりや対策が、国際的に議論されるようになった。現在、天然痘ウイルスのサンプルはアメリカとロシアの一部の研究機関だけに存在し、厳重に保管されているそうだ。

ジャネットと彼女から感染した母親を最後に、天然痘の患者は出ていない。天然痘は1980年の5月にWHO（世界保健機関）によって世界根絶宣言が出された。世界で根絶に成功した、唯一の感染症である。

11 殺害予告

危険↓なぜ？

ブライス財務長官が執務室のドアを開けると、秘書のバートは用心深く部屋の中をのぞきこんだ。そして、自分が先に執務室に入り、すばやくあちこちを見わたしてから言った。

「長官、お入りください。」

ブライス長官はひとつうなずくと部屋に足をふみいれ、黒い革張りのイスに座った。この建物はもちろん、フロアに入るにも通行証が必要だ。部屋のドアは指紋認証で開くしくみになっている。だが、忠実な秘書のバートは、先日ブライス長官に殺害をほのめかす脅迫状が届いてからというもの、かなり神経質になっているのだ。

ブライス長官が脅迫状を受け取ったのは初めてではない。権力や財産を持っている人間は、こうした目にあいがちだ。

「今までのはただのいたずらだったかもしれません。でも、今回のが本気じゃないとはかぎりませんよ。」

バートは警備を増やし、車の整備士に長官の自家用車を毎日点検するよう言いつけた。ブライス長官の自宅の庭のセンサーライトと防犯カメラも増やした。

ピンポーン

インターホンの音がした。カメラに映っているのは、第2秘書のジェニーの姿だ。

「郵便物を持ってきました。」

「ありがとう。きょうはずいぶん多いな。」

日々の連絡はメールが主流とはいえ、ブライス長官のもとにはたくさんの郵便物が送られてくる。パーティーやイベントの招待状、支援を求める企業や団体からの報告書など、つき合いのない相手からの郵便物も多い。メーカーが新製品を送りつけてくることもある。

　この建物に届く郵便物は1階で金属探知機を通っているが、バートはすべて自分がチェックし、開封してからブライス長官にわたすことにしている。まず、差し出し人の住所や名前にあやしいところはないか確認する。それから、バートがもっとも警戒しているのは「手紙爆弾」だ。これは、一見ふつうの郵便物に見えるが、開封したときに化学変化を起こして爆発するように仕組まれているものだ。封筒が見た目よりやけに重かったり、変わったにおいがしていたりするものは要注意である。

「きょうは、くだらない郵便物ばかりだな。」

　ブライス長官は、バートが念入りに1通ずつ調べてから封を切ってわたしてくれる封筒の中身をチラッと見ては紙ゴミ入れにつっこんだ。

　ふと見ると、バートは1通の封筒を入念にひっくり返してながめている。

「バート、ずいぶん時間をかけてるじゃないか。」

「この手紙、あやしいんですよ。封筒にわざわざこんなことを書くなんておかしくないですか？」

封筒のうらに、「個人的な秘密が書かれているので必ずブライス氏ご自身で開封してください」という一文が印刷されている。ブライス氏はドキッとした。差し出し人の名前に心当たりはない。でたらめの可能性が高いが、こんなことを書かれると気になってしまう。

「ふむ。」

ブライス長官はバートの手から封筒をサッと取り上げた。

「これは手紙爆弾ではないだろう。中身はびんせん1枚ってところかな。」

「長官、開けちゃダメです！」

バートは長官に体当たりして封筒をうばいとった。ブライス長官は床にしりもちをつき、バートの剣幕に目を白黒させている。

「長官、失礼しました。でも、手紙爆弾じゃなくても……封筒ひとつで人を殺すことはできるんですよ。この手紙は警察に回します。」

バートは、この手紙を開封するとl命にかかわる危険があるかもしれないと思っているようだ。手紙で人を殺す方法があるのだろうか。

解説　炭疽菌

もし封筒を開けていたら、長官だけでなくバートも命を落としていた可能性がある。この封筒には、炭疽菌という危険な細菌を混ぜた粉末が入っていたのだ。

このストーリーは実際にあった事件をもとにしている。かつてアメリカで、封筒から飛び散った炭疽菌入りの粉末を吸いこみ、肺炭疽症による死亡者が出る事件が起こっている。このように細菌やウイルスを使って故意に人を攻撃する「バイオテロ」行為は許されるものではない。

炭疽菌とは、地球上に古くから存在していた細菌だ。自然の状態では、野生動物が炭疽菌に汚染された草や土から感染し、その動物の肉や毛皮から人間に感染するケースがある。人から人へはうつらない。初期症状は風邪に似ているが、急激に容態が悪化することがある。

ただし、日本国内では1994年以降、感染例はない。

12

のろわれた病棟

原因→なぜ？

ときは1840年代。オーストリアのある病院に勤めるゼンメルワイス医師は、産科の医科長だ。彼は医師や医学生が働くA病棟、女性の助産師が働くB病棟、両方の責任者である。

きょうもまた、ゼンメルワイスはA病棟で医学生や若い医師を相手に解剖実習の指導を行っていた。

「実習はこれで終わりだ。午後はいつも通りお産があるから、各自担当の病室に行くように。」

「はい！」

学生たちは解剖室からろうかに出て歩き出した。

「先生のメスさばきにはほれぼれするな。あんなふうになりたいもんだ。」

医学生の一人は上着のポケットからメスを取り出すと、手に持って動かすそぶりをした。実習に参加していたマーク医師が、彼に声をかける。

「きみはメスを入れるとき手がふるえていたな。」

「緊張したんですよ。手が汗ですべっちゃって。」

医学生はきまり悪そうに、手をズボンのおしりのあたりでゴシゴシふいた。

「さて……きょうの昼飯はどこで食うかな。天気がいいから中庭に行くか。」


「ふーむ……。」

控え室で昼食を終えたゼンメルワイスは、レポート用紙をにらんでいた。

「どうしたんですか、ゼンメルワイス先生。難しい顔をして。」

マークが、ゼンメルワイスのとなりにこしかけて言った。

「じつは、お産で亡くなった患者の数を調べていたんだがね。」

現代では、出産によって母親が命を落とすことはめったにない。しかし、この時代には、出産を終えた母親が「産じょく熱」という病気にかかって亡くなることがめずらしくなかった。この病気にかかる原因さえわかっていなかった。

「気になるのは、産じょく熱にかかって死亡する患者の数が、A病棟とB病棟でずいぶんちがうことなんだよ。同じ病院なのにどうして差ができるんだろう。」

マークは目をパチパチした。

「しかたないんじゃないですか？　A病棟のスタッフは高度な教育を受けている医者や医学生ですが、B病棟で出産を受け持つのは助産師ですから。」

「ちがう、反対だよ。産じょく熱による死亡率はA病棟が13％なのに、B病棟はたった2％なんだ。」

「そんな……。」

マークは絶句した。

（医学的知識も技術もすぐれているぼくたちが、助産師よりおとるはずがないじゃないか。あ、そうだ……ひとつちがいがあるぞ。）

「ゼンメルワイス先生。出産するのは女性ですから……もしかすると、男の医者に体を見られることがストレスになって病気にかかりやすくなるのでは？」

ゼンメルワイスが無言なので、マークはさらに口を開いた。

「A病棟はのろわれているのかも⁉」

「ばかなことを言うんじゃない。これだけ数字の差があるんだ。もっと科学的な理由があるはずだ……。」

ゼンメルワイスは深く考えこんだ。


そこに、同僚の医師が顔を出した。

「ゼンメルワイス先生、悪いしらせです。Q先生が亡くなりました。」

「なんだって⁉」

Q医師はゼンメルワイスの同僚である。数日前から高熱が出て、入院していたのだ。彼はつい最近までまったく健康だったのに。

「そんなに悪かったとは……。」

ゼンメルワイスはくちびるをかんだ。しかし、Q医師の症状が産じょく熱とそっくりだったと聞くと、何かが引っかかるような気がした。

「そういえばQ医師はこの間、解剖のときにメスで手を傷つけたと言ってたな。」

傷つけた指先を上着にこすりつけるQ医師の姿が思い出された。

ゼンメルワイスは立ち上がると、マークのほうに向き直った。

「マーク、昼休みが終わったらみんなをここに集めてくれ。お産の前に、全員にやってもらいたいことがあるんだ。」

「はい。やってもらいたいことって、どのくらい時間がかかりますかね？」

「なに、1分でできることだ。これでA病棟の死亡率は下がるかもしれないぞ。」

ゼンメルワイスはA病棟の死亡患者が多い理由をつきとめたようだ。そのために「1分でできること」とはいったいなんだろうか。

解説　手洗いの効果

ゼンメルワイスが男性医師たちに命じたのは、手を洗うことである。「そんな当たり前のこと?」と驚いたかもしれないが、当時は医療の場でも、日常生活の場でも、人は今ほどひんぱんに手を洗っていなかったのだ。日本で手洗いが習慣化したのは明治時代のころといわれる。ゼンメルワイスは世界で初めて手洗いの重要性を広めた、実在の医者。これは事実をもとにした話である。

産じょく熱は、出産のときにできた傷にブドウ球菌、大腸菌、レンサ球菌などの細菌が感染して起こる病気だ。ゼンメルワイスは、産じょく熱に似た症状で死んだ同僚を解剖し、原因が細菌にあると確信する。

とはいえ、このころはまだ「細菌」という存在はあまり知られていなかった。ゼンメルワイスはA病棟のスタッフが解剖実習を通して「何か危険なもの」にふれ、その手を洗わずにお産を行っていることが、産じょく熱の発生率と関係があると考えたのだ。

また、ゼンメルワイスは医療器具を消毒する大切さにも気づいた。これを実践した結果、産じょく熱の感染をほぼなくすことに成功したのである。

だが、残念ながら「手と医療器具を消毒する重要性」はすぐに世界に広まったわけではない。「医者の手は神聖であり、よごれるわけがない」と信じこみ、ゼンメルワイスを非難する医学者までいたそうだ。

ゼンメルワイスとほぼ同時代に生きたパスツールやコッホらの活躍により、「病気を起こす細菌」の存在は、しだいに世界中に広まっていく。

失敗した実験

成功↓なぜ？

ときは1928年、イギリスのとある町で。

「フレミング先生、お帰りなさい。休暇はいかがでしたか？」

フレミングが大学の研究室のドアを開けると、学生が笑顔で出迎えた。

「おかげさまで家族とゆっくりすごせたよ。るすばん、ご苦労だったね。」

フレミングが細菌の研究を始めたのは、戦時中に医者として従軍していたことがきっかけだ。戦争で負ったケガに細菌が入って悪化し、苦しみながら死んでいく兵士を見てきたフレミングは、細菌を殺す薬を作る決意をしたのである。

「さて、ブドウ球菌はどのくらい増えているかな？」

フレミングはこのとき、ブドウ球菌という細菌の研究をしていた。その性質を調べるために、ブドウ球菌を増殖させておいたのだ。

培養器を開けたフレミングは顔をしかめて、ひとつのシャーレ（実験用のガラス皿）を取り出した。

「こりゃ失敗だ。おーい、見てくれ。これカビが生えちゃってるぞ！」

そのシャーレだけ、緑色のアオカビがびっしり生えていたのである。かんじんのブドウ球菌はまるで増えていない。それに、実験に使うには純粋なブドウ球菌でないと役に立たないのだ。

フレミングはシャーレの中身を捨てようとしたが、ふとその手を止めた。

「ちょっと待てよ……。」

フレミングは6年前のことを思い出していた。

あのときも、フレミングは実験に使う細菌を増やしていた。

ところが、数日たってシャーレの様子を見ると、やはりひとつだけ細菌が増殖していないものがあったのだ。

（そういえば、くしゃみをして飛び散ったつばがこのシャーレに入ってしまったんだっけ。もしかして、そのせいなのか!!）

このとき、フレミングは唾液に細菌を殺す成分がふくまれていることに気づいた。その後の実験で、唾液だけでなく鼻水や涙にも殺菌作用があることがわかったのだ。


「ということは、つまり……。」

フレミングがアオカビの生えたシャーレをながめていると、そばに学生がやってきた。

「先生、これ、ぼくが捨てておきましょう。」

学生がシャーレに手をのばそうとするのを、フレミングはさえぎった。

「いや、いい。このアオカビは大変な宝物かもしれない！」

「え!?」

アオカビの入ったシャーレを大事そうにささげ持つフレミングを、学生は不思議そうに見つめた。
（カビが生えたブドウ球菌は実験に使えないのに。先生はこれをどうするつもりなんだろう？）

フレミングはこのアオカビから重大な発見をした。アオカビはどのように役立ったのだろうか。

解説　抗生物質の発見

　おもちやミカンなどに緑色のアオカビが生えているのを見たことはないだろうか。きらわれ者のアオカビには、役に立つ成分がある。アオカビは、細菌が育つのをじゃまする物質（抗生物質）を作り出しているのだ。

　フレミングはかつて「唾液に殺菌作用があるのを発見した体験」から、アオカビにも同じような性質があるのではないかと想像した。そして、実験の結果、アオカビから出る液体が細菌をとかしていることが判明。フレミングはこのアオカビ「ペニシリウム・ノタツタ」が作り出す抗生物質を「ペニシリン」と名づけた。その後、薬の専門家が、ペニシリンを薬として実用化。ペニシリンはそれまで治せなかった破傷風や肺炎など、細菌が原因となる感染症から多くの人を救い、「奇跡の薬」と呼ばれるようになった。この発見を機にカビから多くの薬が開発されていく。

　ただし、抗生物質は「細菌」による感染症には効果があるが、「ウイルス」には効かない。ウイルスは、細菌とはまるで構造がちがうためである。

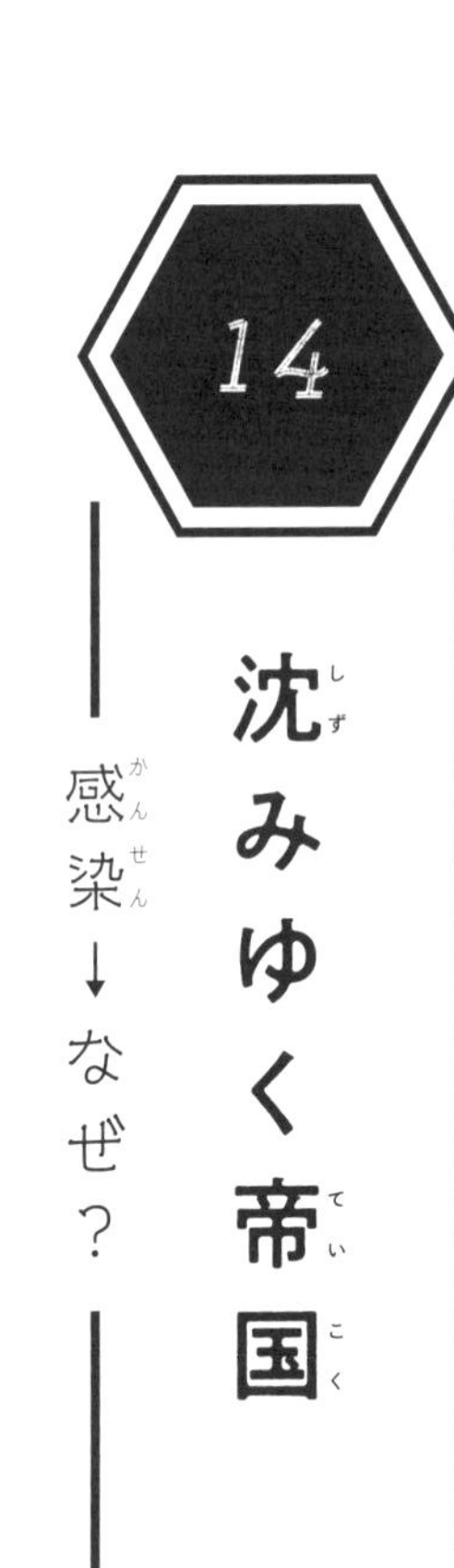

14 沈みゆく帝国

感染→なぜ？

ときは１５３０年代。スペイン人の探検家ピサロは、１８０人ほどの兵を連れてインカ帝国に乗りこんだ。それまでにも何度か南米に上陸を果たしているが、今回はインカ帝国を征服する目的である。

ヨーロッパ人たちはすでに鉄砲や鉄の剣を使用していたが、インカ帝国にはまだ木や石や青銅器の武器しかなかった。それでも、インカ帝国の人々はヨーロッパ人をやっつけることができると信じていた。

「何もおそれることはない。太陽神はきっとわれらをお守りくださるはずだ。」

しかし、一部では不安な声も上がり始めた。運の悪いことに、インカ帝国では体じゅうにできものができる病が流行し、たくさんの人々が命を落としていた。しかも、国民にショックを与えたのは、この病で王までも亡くなったことである。

インカ帝国では、代々「太陽神」の子が王位についており、王のエネルギーは絶対的とされていた。国民は動揺し、国は内乱状態におちいった。インカの国民たちは知るよしもなかったが、この病気の正体は天然痘である。

「これまで通り、太陽神を信じるのだ。」

人々は病に苦しみながらも太陽神をまつった神殿に祈りをささげた。

しかし、病気は猛威をふるい続け、攻めこんできたわずか180人程度のスペイン人に、インカ帝国は乗っ取られてしまったのだ。

インカ帝国最後の王となったアタワルパはピサロにとらえられ、処刑されるときにこうさけんだ。

「わたしは太陽神の子だ。必ず復活して、おまえたちに復讐してやるからな！」

「アタワルパ様……。」

アタワルパの遺体にすがった家臣は泣きくずれながら、つぶやいた。

「わたしたちは、やつらに負けたのではない。おかしな病気にほろぼされたのだ。だが、それにしても、なぜスペイン人たちは一人もこの病気にかからないのか？」

そのとき、彼の頭におそろしい考えがうかんだ。それは考えるだけでも大変な裏切りで、決して口に出してはならないことだった。

（もしかしたら……われわれの太陽神よりも、スペイン人が信じている神の力のほうが強大だったのではないか。）


「神の力」のおかげで病気を撃退できるはずはない。では、ピサロ率いるスペイン人たちは、なぜ天然痘にかからなかったのだろうか。

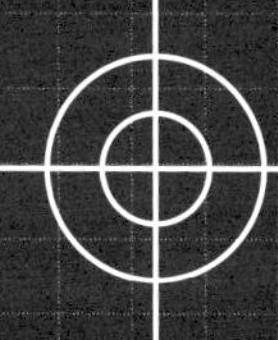

解説　免疫

ヨーロッパでは昔から何度も天然痘が流行している。ピサロ率いるスペイン人たちは天然痘にかかった経験がある（免疫を持っている）者がほとんどだったから、感染しなかったのだ。科学が発達する前、大きな被害をもたらす病気の出現を「天罰」とする考え方は世界中にあった。日本でも病気や災害に見舞われると大仏を建立したり、まじないに頼っていた時代がある。

ちなみにインカ帝国のあった南アメリカに天然痘をもたらしたのは、ピサロに先がけて上陸したコロンブスの一行と考えられている。人間の行動範囲の広がりが、感染症をほかの土地に運ぶことになるとは皮肉なものである。

この話は事実をもとにしたもの。インカ帝国は15〜16世紀ごろに栄えた、現在のペルーを中心とした広大な国である。文字は持たなかったが黄金細工、織物をはじめとする工芸、建築物など高度な文明を残している。標高2500メートルもの土地に作られた都市、マチュピチュの遺跡で有名だ。

熱帯林の言い伝え

危険↓なぜ？

ここはX国の山深い奥地。

どこまで行ってもうっそうとした熱帯林が続く。大自然のままの情景で、人間が手をかけて作ったものはひとつも見当たらない。

わたしは正直なところ、うんざりしていた。社長がリゾート開発の候補地を見に行くというので、副社長としてしぶしぶ同行したのだが……。そもそもわたしはこの計画には反対だし、専務たちにも「この開発計画は予算がかかりすぎる。なんとか社長を言いくるめて計画をつぶしてほしい」と頼まれている。

残念なことに、社長はここが気に入ったようだ。

「うん、わしが探していたのはまさにこういう土地だ。ここに決めよう。」

冗談じゃない。なんとか反対しなければ！

「社長、このあたりには道路すらありませんよ。」

「道路なんかこれから作ればいいじゃないか。費用はわしが出す。」

社長は、この土地を管理しているX国の役人たちのほうを向き直った。

「わしが作ろうとしているのは、大自然の中のキャンプリゾート・シティだ。都会に住んでいる人たちは、雄大な大自然にあこがれている。実際にキャンプを楽しむには技術がいるが、わしが考える客層はアウトドアの達人ではない。田舎に行ってキャンプの雰囲気だけを味わいたい金持ちが利用する……いわばテーマパークのような施設を作りたいんだ。」

社長の言葉を、X国の通訳の青年が役人たちに伝える。通訳の青年は役人の息子らしい。ヨーロッパの大学で科学を勉強し、何ヵ国語もしゃべれるエリートなのだそうだ。役人たちはみな悪くないといった顔でうなずいている。そりゃあ、こんなだだっ広いだけの森林を買ってくれて、空港から道路を作る金まで出すというんだからなぁ。

「それにしても不便すぎじゃありませんか？　道路を整備しても空港から車で3〜4時間はかかりますよ。」

「不便なほうがいいんだ。不便を楽しむ、時間と金によゆうのある人間のために作るんだから。」

空港のまわりだって何もない。こんなところを開発しようとしたら、ばく大に費用がかかりすぎる。とにかく、ひき下がるわけにはいかない。

わたしは、もうひとつ説得の切り札を残していた。

「ですが大自然を破壊して施設を作るのはやりすぎじゃないでしょうか。森林の伐採は世界的な問題になっていますから、わが社のイメージが悪くなるのでは……。」

「うむ……。」

社長の顔がくもった。社長はガンコだが、意外と世間体を気にするタイプなのだ。

「じつは、ぼくも反対なんです。」

突然、通訳の青年がそう言ったので、わたしはびっくりして聞き返した。

「どうしてですか？」

「おばあちゃんがよく言ってたんですよ。『木を切った数だけ病気で人が死ぬ』って。この地域の昔の言い伝えらしいんですが。」

通訳はわたしたちにそう言ったあとで、同じことをX国語で言った。

すると、役人たちは一様に暗い表情になったのだ。

わたしは首をひねった。もしかして、たくさんの木を切って、たくさんの人が病気になった過去があったのか⁉

通訳の青年は、空を見上げて言った。

「これはただの迷信じゃありません。きわめて科学的な話なんです。」

広い範囲の森林伐採によってどんなことが起こるか、推理してみてほしい。たくさんの木を切ることは、人間の病気とどのような関係があるのだろうか。

解説　ウイルスと環境

森林伐採と、感染症の出現には深い関係がある。わたしたちは「新しい感染症が発生した」という言い方をするが、これは人間の目線からのものだ。ウイルスの多くはずっと昔から、地球上のどこかにひそんでいるのである。

エボラ出血熱、鳥インフルエンザ、ＳＡＲＳ、マールブルグ病などの感染症が次々に登場したのは１９５０年代以降だが、これは人口の増加にともない、人間が森林伐採やダム工事などの開発を盛んに行い始めた時期に当たる。

広い範囲で森林が伐採されると、すみかやエサを失った昆虫や鳥、小さな野生動物たちが森の奥から出てくる。人間が野生動物のなわばりに進出したために、虫や野生動物たちが、人間の世界にウイルスを運ぶことになったのだ。

史上最悪のパンデミック

感染→なぜ？

「スペイン風邪が流行したのって100年くらい前のことなんだ。お父さん、見て、昔もみんなマスクしてたんだね。」

スマホをいじっていたキョウタが、『歴史ニュースあれこれ』というタイトルの記事を見せに来た。画面には、マスクを着けた着物姿の女性たちが並ぶ写真ものっている。キョウタは6年生になって、歴史に興味を持ち始めたようだ。高校で世界史を教えているぼくの影響かも……と思うとちょっとうれしい。

「このころは大正時代だけど、今と同じような感染予防の呼びかけをしていたらしいよ。なるべく人が集まるところに立ち寄らないようにとか、電車ではマスクを着ける、せきをするときはハンカチで口をおおうとか。」

「へえ。『史上最悪のパンデミック』って書いてあるけど。スペイン風邪ってすごかったんだ。日本だけで38万人くらい人が死んだんだって⁉」

「世界中ではものすごい死者が出てるはずだよ。」

こう言うと、キョウタはすぐに検索をして調べ始める。

「やばい！　世界中で3000万〜5000万人の死者だって。っていうか、3000万と5000万って差がありすぎじゃね？」

「まあ100年前のことだから、記録があいまいなんだよ。そもそも当時はまだウイルスっていうものも発見されてなかったんだ。スペイン風邪がインフルエンザの仲間だとわかったのも、ずっとあとのことだし。」

「ところで……スペイン風邪って、スペインで発生したんだよね？」

「それがちがうんだ。有力なのはアメリカ説。最初にどこで発生したかはいろんな説があるんだけどね。ともかくアメリカやヨーロッパではあっという間に感染が広がってたくさんの人が死んだんだけど、この病気についてちゃんと報道したのはスペインだけだったんだ。そのせいでスペイン風邪と呼ばれるようになったわけ。」

「え？　それだけ流行してたらニュースにするのが当たり前だよね。なんで、アメリカやほかの国は報道しなかったの？」

キョウタは不思議そうな顔をしている。

よし、ちょっとキョウタの歴史の知識を試してみるかな。

「ヒントは……スペイン風邪が流行ったのは１９１８年から１９１９年ってこと。スペイン風邪がものすごいウイルスだったのは置いといても、早くから危険性が報道されてたら、犠牲者はもっと少なくてすんだかもしれないね。」


スペイン以外のヨーロッパの国々、アメリカが当初この感染症についてニュースにしなかったのはなぜだろうか。

解説　スペイン風邪

スペイン風邪の流行は、第一次世界大戦（1914年7月〜1918年11月）の末期に当たる。最初の発生は1918年3月、アメリカとされる。カンザス州の兵士の訓練所で感染が広がり、彼らがヨーロッパに進軍したことで感染が拡大したと考えられている。アメリカやイギリス、ドイツ、フランスなどの多くの兵士が命を落としたが、「わが国が危険な病気におびやかされている」と報道すると戦争に対する士気が下がるし、敵国からつけこまれると考えて、どの国もニュースにしなかったのだ。この戦争に参加していなかったスペインだけが、1918年の5月ごろから報道を始めた。そのため全世界的に「スペインの病気」というイメージができ、いつのまにか「スペイン風邪」と呼ばれるようになったわけだ。

第一次世界大戦の戦死者は、約1000万人。スペイン風邪による死者は推定約4000万人。パンデミック（感染爆発）は、人の移動の影響が大きい。もし流行り始めに休戦していれば、これほどの死者は出なかったかもしれない。

正確な表現

誤解→なぜ？

「ねえねえ、パパ、これ見てくれる？　自由研究で作ったんだ。」

ナツノがもぞう紙をかかえて部屋に入ってきた。

「自由研究はね、みんなの投票で一番に選ばれると、市の自由研究コンクールに出してもらえるんだって。」

「そうか。じゃ、見せてごらん。」

ナツノはもぞう紙を広げて見せる。題は「新型コロナウイルスってなんだろう？」。ナツノはいろんな色のペンを使って書いた文章を読み上げ始めた。

「ウイルスは、目に見えないくらい小さいものです。
人間や動物にかんせんして、びょうきのげんいんになります。

今流行している新型(しんがた)コロナウイルスは、人間を病気にするウイルスです。
せきやくしゃみで、うつります。ウイルスがついた手で、はなや口にさわっても
かんせんします。

かんせんすると、ねつやせきが出てかぜみたいにぐあいが悪くなります。でも、
かんせんしても、ぐあいがわるくならない人もいます。だから、自分はかんせんし
ているかもしれないと思って、だれかにうつさないように注意しましょう。

うつらない・うつさないための注意

1　せっけんで手をよくあらう。うがいをする。

2　マスクをする。

3　へやのまどをあけて空気の入れかえをする。

4　ごはんを食べて、すいみんをとる。体力をつける。
5　人とのきょりをあける。
6　こんでいる場所に行かない。
7　体調が悪いときは、出かけない。

注意‼
ウイルスは人間の体に入りこんで
あなたをころそうと、いつもねらっています‼」

「すごい。よくできてるね！」

ナツノはうれしそうに笑った。

うん、小学2年生にしては、なかなかよくできてるんじゃないだろうか。

「これ、クラスで一番になれるかなぁ？」

ナツノは瞳(ひとみ)を輝(かがや)かせている。

これがもしクラス代表になって、市のコンクールに出展され、たくさんの目にふれることになるとしたら……。

子どもの作品とはいえ、できるだけ「正確」にする必要はあるだろう。

ウイルスについて、誤解を招くことになったら困る。

「一か所だけ、直したほうがいいところがある。あとは完璧だよ。」

ナツノはちょっと不満そうな顔をした。

ナツノが読み上げた文章をもう一度読み返してみよう。この中にある、「誤解を招くかもしれない点」とはなんだろうか。

解説　ウイルスとは何か

語り手が「誤解を招くかも」と心配したのは、最後の「ウイルスは人間の体に入りこんであなたをころそうと、いつもねらっています」という文章だ。正確にいうとウイルスは人間を「殺そうと」しているわけではない。ただ「すみやすい環境」を求めて体に入りこみ、増殖しているだけなのだ。宿主が死ねばウイルスもつき果ててしまうのだから、むしろ「宿主には死んでほしくない」はず。

ウイルスは「微生物」の中でも、もっとも原始的。細胞の中にある遺伝子の部分だけが独立したようなもので、ウイルスだけでは何もできない。宿主の細胞に入りこんで初めて、増殖活動ができるようになる。増えるときに宿主の細胞をこわしたり、ほかの細胞へと感染したりし、宿主に「病気」という形で被害を与えることがあるが、すべてのウイルスが病気をもたらすわけではない。われわれ人間は「ウイルス＝悪者」と決めつけがちだが、じつは地球上のほとんどのウイルスは無害か、または軽い病気を起こす程度のものなのだ。

変身するウイルス

誤解↓なぜ？

図書館の入口近くの目立つところにできていた「感染症の本コーナー」の前で、あたしはふと足を止めた。

コレラや天然痘、ペストなど歴史上で有名な感染症についての本もあれば、いろんなウイルスや細菌を紹介する図鑑みたいな本もある。

意外だったのは、インフルエンザについての本がたくさんあったことだ。たまにはこういう本読んでみようかなと思って、適当に1冊借りてみたんだけど。

う〜ん。もっとかんたんなのにすればよかった。この本は、内容が専門的すぎて、全然頭に入ってこない。

駅前のバス停に並んでパラパラめくってたら、後ろからお兄ちゃんの声がした。

「ぐうぜんだな。遅いじゃないか。」

「うん、きょうは図書館に寄ったから。」

お兄ちゃんは、本をのぞきこんだ。

「レナ、インフルエンザの本とか興味あるのか？　それ、中学1年にはだいぶ難しいと思うけど……。」

「そうなんだよ、大失敗。たまたまインフルエンザの本がいっぱい並んでたから借りてみたんだけど、ほとんど意味わかんない。最後のほうに『これから新型インフルエンザが発生することが心配されている』って書いてあるけど、そんなの当たり前だしねぇ。」

高2のお兄ちゃんはニヤニヤした。

「レナ、新型インフルエンザってなんだかわかってる？」

うっ。改めて聞かれると、ちょっと自信ない。

「えーと……新型だから、新しいインフルエンザってことだよね。そうだ、インフルエンザって、毎年ビミョーに変わったりするんだよね。それのこと？」

お兄ちゃんは、両手でバツ印を作った。

「残念。インフルエンザA型、B型、C型のそれぞれにいろんな種類があって、ときどきちょっとだけモデルチェンジした型が出るのは本当だけど、それを『新型インフルエンザ』とは言わない。」

へえ、そうなのか～。

「新型インフルエンザは……まだ人類が出会ったことがない、新しいインフルエンザのことだよ。それに対抗するワクチンができてないやつ。たとえば歴史上でいうとスペイン風邪とか、ホンコン風邪とか。」

あ、それ聞いたことあるな。お兄ちゃんは、イキイキとしゃべり続ける。医学部目指してるだけあって、こういう話になると止まらなくなるんだよ～。

「『新型』は、毎年流行るインフルエンザとちがって、突然変異が起こって生まれるインフルエンザなんだ。つまり、鳥インフルエンザや豚インフルエンザなんかと、人間のインフルエンザが混ざって誕生する。」

「鳥インフルエンザって、たまにニュースで聞くよね。」

「ふつうは鳥インフルエンザが人間に感染して、そこで終わる。おそれられてるのは、それが人間同士の間でも感染し合うようになって……人間の体内で増殖しやすい『新型ウイルス』に変異することなんだ。」

なるほど、ちょっとわかったかも！

「そういうことが、どこか遠くで起こってるかもしれないってことだね？」

あたしが言うと、お兄ちゃんは急にまじめな顔になった。

「うん。その答えだと、×じゃないけど○もあげられない。△ってとこかな。」


「インフルエンザの突然変異がどこか遠くで起こってるかもしれない」が「△」ならば、どんな言い方をすれば「○」なのだろうか。

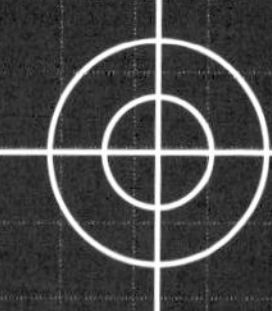

解説　新型インフルエンザ

「どこか遠く」ではなく、地球上どこにいても起こりえる。今ここで起こっている可能性もあるのだ。新型インフルエンザは、鳥や豚のインフルエンザウイルスが、人から人へ感染しやすい「ヒト型」のウイルスに変異して発生する。もとが動物のウイルスのため、人間は免疫を持っていない。感染しやすく、重症化しやすい……すなわち感染爆発が起こりやすいと心配されているのだ。

わたしたちにできるのは、日々「人間のインフルエンザ」にかからないように気をつけること。突然変異によって生まれる「新型インフルエンザ」は「これまで人類が出会ったことのないウイルス」だから当然ワクチンがなく、そのためにおそれられている。

現在、世界中の研究者があらゆるインフルエンザに有効な万能ワクチンの開発に取り組んでいる。これが実用化すれば、ノーベル賞はまちがいない！

かわいそうな犬

危険→なぜ？

「ほら、ステファニー。ちゃんと帽子かぶらないと！」

ジャスミンは妹が落とした帽子を拾うと、ステファニーのあとを追いかけた。

「お姉ちゃん、ここでおべんとう食べようよ！」

夏休みに、おじいちゃんとおばあちゃんの住む田舎を訪れて3日目。

ジャスミンは妹と2人でピクニックにやってきたのだ。

草むらに座っておべんとうを食べたあと、2人は花をつみ始めた。自分で作った花かんむりで帽子をかざり、ステファニーは満足そうに「ママのも作って持って帰る！」と、黄色い花の咲きほこるほうへ走っていった。

しかし、ステファニーはすぐにジャスミンのそばにもどってきた。

「ねーえ、お姉ちゃん。バスケット貸(か)して。」

「なんで？」

「あのね。あそこの木の下に、おなかをすかせたワンちゃんがいるの。ガリガリにやせててかわいそうなんだよ。」

ジャスミンは立ち上がると、ステファニーが指さすほうを見やった。

中型(ちゅうがた)くらいの茶色の犬が、木の下にすっくと立っている。

確(たし)かに、遠くからでもあばら骨(ぼね)がうき出るほどやせているのがわかる。

「サンドイッチの残り、あげようよ。あのワンちゃん、おなかペコペコだよ。口からいっぱいよだれがたれてたもの。」

ジャスミンは、ステファニーの顔をのぞきこむと声をひそめて言った。

「よだれをたらしてた？　本当に？」

「うん。すごくいっぱい出てた。」

「ステファニー、大きな声、出さないで。帰ろう。」

ステファニーはクスクス笑い出した。

「やだぁ、お姉ちゃん。ワンちゃんがあたしたちを食べると思ったんでしょ？　そんなことしないよ。あの子、すごくおとなしそうだし。」

「いいから、帰るの！」

ジャスミンはきびしい目をして、ステファニーの手を引っぱった。

「でも、あんたが『よだれをたらしてる』って教えてくれて助かったよ。」


犬が「よだれをたらしている」ことから、ジャスミンはどんな危険(きけん)を感じ取ったのだろうか。

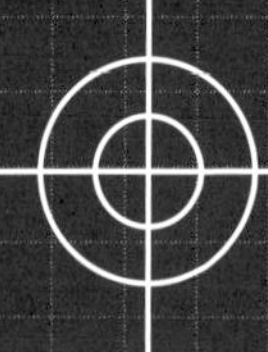

解説　狂犬病

大量のよだれをたらしている犬には近寄ってはいけない！　これは狂犬病に感染した犬の特徴のひとつなのだ。狂犬病にかかった動物は興奮してうなり声をあげることもあれば、体がまひしているせいでおとなしく見えることもある。水を飲むとのどがけいれんするため、水をこわがることもよく知られる。疑わしい犬を見たら、すぐに大人に知らせて役所に連絡してもらおう。

人間が狂犬病にかかった犬にかまれると、唾液にふくまれるウイルスが体に侵入する。発症すると発熱などの症状が出て、水や風をこわがったり、強い不安感が起こったりする。死亡率は高いが、もし狂犬病の犬にかまれても早いうちにワクチンを接種すれば発症を防げる。日本では、飼い犬の登録と予防注射、野犬の管理によって狂犬病の撲滅に成功している。ただし、アジア、アフリカ、中米などを中心とした世界の国々では今も狂犬病が発生している。犬だけでなくリスやネコ、キツネなども狂犬病に感染するので、野外で動物を見かけても接触しないこと！

増えすぎたウサギ

失敗↓なぜ？

ときは１９５０年代、オーストラリア。

ジャックは広大な丘を見わたして、ため息をついた。これからやらなければならない仕事のことを思うとゆううつでたまらなかったのだ。彼が命じられたのは、緑の丘を灰色にそめているウサギの群れに、感染症のウイルスをばらまくことだった。数十年の間に、爆発的に増えたウサギによって畑は荒らされ放題。野生の鳥や小動物も被害にあい、オーストラリアの自然環境は危機にひんしているのだ。

ウサギが増えてしまった原因を作ったのは、イギリスから移住してきたオースティン氏である。彼が「イギリスにいたときのようにウサギ狩りをしたいな」などと思いつきさえしなければ！　彼が故郷の兄に頼んでイギリスから24匹のウサギを送ってもらい、自分の敷地内に放ったのは１８５９年のこと。これがすべての始まりだった。

ぐうぜんにもウサギたちにとって、オーストラリアの自然環境は快適だった。天敵がいない中、ウサギたちはおそるべきスピードで繁殖し、なわばりをオーストラリア中に広げていったのである。なんと１９４０年代にはウサギの数は推定約８億匹にのぼったという。

ついにはオーストラリア政府も乗り出し、ワナをしかけたり撃ち殺したりし始めたが、数がぼう大すぎてまるで歯が立たない。そこで、「兎粘液腫」を引き起こすミクソーマウイルスをウサギに感染させて殺す作戦が実行されることになったのだ。このウイルスは、人間に感染することはない。

「人間の勝手でわざわざ外国からウサギを連れてきておいて、増えると殺すなんて、やりきれないな。」

ジャックがつぶやくと、同僚のハワードが言った。

「しょうがないだろう。損害のひどさを考えたら、やるしかない。」

（人間だって、前ぶれもなく流行する感染症にはさんざん苦しめられてるのに。かわいそうだなぁ。）

こう思ったけれど、ジャックは口には出さなかった。言ってもしかたがないことだから。


ミクソーマウイルスによる攻撃は大きな効果を上げた。なんと全体の99％ものウサギが死んだのである。

「致死率99％とは……すごい威力だな。まさかこんなに効くとは思わなかった。」

ハワードも興奮したように言った。

「驚いたよ。まあこうなったら、あとは減る一方なんだろうな。」

ところが、彼らが想像したようにはならなかった。

じつは、今でもオーストラリアはウサギの被害になやまされているのである。

ミクソーマウイルスによって一時は全体の99%が死んだ。その後もミクソーマウイルスの使用は続けられたが、ウサギはまた数を増やしていった。なぜだろうか。

解説　ミクソーマウイルス

生き残った1%のウサギたちは、病原性が弱いミクソーマウイルスに感染したと考えられる。このウサギたちは一度感染したために免疫を獲得し、子孫を増やしていく。１９５０年代半ばには、ミクソーマウイルスによる致死率は50%にまで下がっている。免疫を獲得したウサギが増えていった証拠である。

致死率が高いウイルスの中に、病原性の弱い種類のものがあるのは自然の法則である。ウイルスは、ウイルス単体では生きられない。宿主であるウサギが全滅してしまうと、ウイルスも死滅することになってしまうから、宿主がある程度生き残るようになっているのだ。

悪いのはだれだ!?

誤解→なぜ？


「おつかれさま！　カンパーイ！」

ジョッキをカチンと合わせると、みんなはのどを鳴らしてビールを飲み始めた。

うまい。体を動かしたあとの一杯は最高だ。

高校時代のテニス部の仲間で、毎月集まるようになったのは3年前からだ。50歳を記念した同窓会のときにだれかが言い出して以来、月に1回、交代でテニスコートを予約している。もちろんいつも全員集まるわけじゃないが、毎回4～5人はやってくる。汗を流したあとの飲み会も楽しみなんだ。

「それにしてもおまえのサーブはおとろえてないな。ニシダはオレらの代じゃ最強だったけどさすがだよ。」

　カミヤに言われて、オレはちょっと照れた。

「それはほめすぎだって。」

「ニシダ、全然腹も出てないじゃん。見た目も一番若いよ。」

　マツオカが言うと、オギノが口のはしをゆがめて言った。

「でも、さすがのニシダも老眼には勝てないらしいな。」

　オギノは、きょうの試合でオレが審判をやったとき、ボールがコートに入っていたのをアウトと見あやまったミスをあてこすっているのだ。オギノは学生時代からオレをライバル視していて、オレがほめられるとあからさまに横やりを入れてくる。

　オレは場の雰囲気を変えようと、明るく言った。

「いやぁ、ミスってごめん。オレも年相応のオッサンだって。オレ、先月来なかっただろ？　あのとき帯状疱疹になっちゃってさ。」

「帯状疱疹？」

　みんなポカンとしているところを見ると、帯状疱疹の経験者はいないようだ。

「帯状疱疹ってよく聞くけど、なんなの？　じんましんみたいなもん？」

カミヤが食いついてきた。

「みんな、水ぼうそうってかかったことあるだろ？」

オレをのぞく3人全員がうなずいた。

「じつは水ぼうそうが治ったあとも、ウイルスはずっと体の中にひそんでるんだ。体の免疫力によって抑えられているけど、つかれやストレスがたまったり、年をとって免疫力が低下するとまた活動し出す。それが帯状疱疹なんだって。」

「へえ～、知らなかった。」

みんなは一様に驚いたようだった。

「帯状疱疹って、すごく痛くなるんだっけ？」

「そう。ウイルスが活動を始めるとき、神経にそって移動して皮膚に到達するらしいんだ。オレは右腕にびっしり、まさに帯みたいに発疹が出たよ。まだちょっとかさぶたのあとが残ってるかな……。」

オレは長そでのシャツを少しめくってみた。半そでのテニスウェアを着てもだれも気がつかなかったくらいだから、もうほとんどわからない。

「水ぼうそうやったのなんて、小学生くらいだろ？　そのウイルスがずっと体の中にあるなんて不気味だな。」

「年をとるといろいろあるよな。オレ、こないだの健康診断でさ……。」

マツオカが医者に太りすぎを注意されてダイエットを始めた話の次は、カミヤが野球観戦中に熱中症になって病院にかつぎこまれた話……。

50代ともなると健康の話題が多くなる。この日は「お互い気をつけようぜ」と言い合いながら解散した。


カミヤがオレに電話してきたのは、それから2週間ほどたったある日のことだ。

「言いにくいんだけどさ。オギノがさっき電話してきて、おまえに帯状疱疹をうつされたって怒ってたんだ。」

「え？」

オレが聞き返すと、カミヤは困ったように言った。

「この前、集まったじゃん。『あのあとすぐに帯状疱疹が出たから、まちがいなくニシダからうつったんだ』とか言ってたぜ。しかもオギノのやつ、ネットにまで書きこみしてるんだ。『ニシダに帯状疱疹うつされちゃいました。病院代と慰謝料、もらわなくちゃ』って。」

「そうか……知らせてくれてありがとう。オレからオギノに電話しておくよ。まあ、慰謝料をもらうとしたら、オレのほうだけど。」

主人公は、オギノが帯状疱疹になったのは自分と関係がないという確信があるようだ。それはなぜだろうか。

解説　日和見感染症

帯状疱疹は、水ぼうそうウイルスの免疫を持っている人（水ぼうそうにかかった人、水ぼうそうの予防接種を打った人）なら、だれでも発症する可能性がある。水ぼうそうのウイルスは体内でじっと息をひそめていて、疲労やストレスなどで免疫力が低下した時に暴れ出す。このような感染症を「日和見感染症」という。

帯状疱疹の発疹がまだかさぶたになっておらず、ジュクジュクした状態なら、そこからウイルスが出て人に感染する可能性はある。だが、うつる可能性があるのは「まだ水ぼうそうにかかったことがない人」だけ。それも、「水ぼうそう」の発症だ。「帯状疱疹→水ぼうそう」はありえるが、「帯状疱疹→帯状疱疹」はありえない。

これを知っていたので、主人公はオギノの言い分は単なる言いがかりだと判断できた。オギノが帯状疱疹を発症したのは、ぐうぜんだろう。

実名まで出して人をおとしめるようなことをネットに書かれた主人公こそ、「名誉毀損」でオギノを訴える権利があるというわけだ。

わき見歩きにご用心

感染↓なぜ？

「レイ、じいちゃんちょっと病院に行ってくるからな。」

ぼくはガバッととび起きた。

「わ、ちょっと待って。すぐ起きるから。」

しまった。寝すごした。きのうの夜、じいちゃんとのおしゃべりがおもしろくて、だいぶ夜ふかししたせいだ。

ぼくは超特急で顔を洗い、歯みがきをすませる。

「ぼく、ついてっちゃだめ？」

ばあちゃんが出してくれたおにぎりをほおばり、麦茶で流しこみながら言う。

「かまわないけど、おもしろいとこじゃないぞ。」

「いっしょに行く！」

じいちゃんと並んで家を出る。手にはサッカーボールを持って。じいちゃん、ばあちゃんの家にきのうからとまりに来てるんだけど、きょうの夜には帰らなくちゃならない。だから、できるだけじいちゃんといっしょにいたいんだ！

じいちゃんが、有名なサッカー選手のＳ選手を指導したコーチだったと知ったのはつい最近だ。

ママに「なんでもっと早く教えてくれなかったんだよ」って文句を言ったら、「あんた、サッカーに興味なかったじゃない」って。まあそりゃそうなんだけど。

前はパパの影響で野球のほうが好きだった。だけど今年、４年生になって友だちにさそわれてサッカークラブに入ったら、ぼくはあっという間にサッカーに夢中になっちゃったんだ。

この前、日本のサッカーの歴史を紹介するテレビ番組を見ててさ。Ｓ選手が出てきたら、ママが「あら、なつかしい。Ｓさん、あたしが小さいころよく家に来てたわ」なんて言うんだもん。びっくりしたよね。

だから、今度じいちゃんに会ったら、サッカーの話をたっぷりするんだって楽しみにしてたんだ。

「あ、あの犬、でっかいなぁ！」

横断歩道の向こうを、真っ白いフサフサの大型犬を連れて歩いてる人がいたから、思わず乗り出すと、じいちゃんがぼくの肩をつかんだ。

「危ないぞ。レイはどうもうっかりしたところがあるな。」

「アハハ、ママにもよく注意されるよ。ねえ、帰りにさ、じいちゃんがきのう言ってたフェイントの技を教えてほしいんだ。公園とかで……。」

そのとき、ぼくはハッと気づいたんだ。そういえば今、病院に向かってるんだった。じいちゃんはなんで病院に行くんだろう。めちゃくちゃ健康に見えるけど。

「あの……じいちゃん、具合悪いの？」

「悪くないよ。定期検診だ。じいちゃんの体の中にはずっとC型肝炎ウイルスっていうのがあって、それが病気を起こしてないか確かめに行く必要があるんだよ。」

「そんなことってあるんだ……。」

ウイルスと聞いてドキッとした。新型コロナウイルスの流行があってから、パパやママは「ウイルスに感染しないように」ってしょっちゅう言うし、ぼくもけっこうちゃんと気をつけてるからさ。

「じいちゃんはそのウイルスにどこで感染したの?」

じいちゃんの顔をのぞきこんだとき、じいちゃんはぼくの体をぐっと引き寄せた。

ビュン! ぼくの前を、自転車が猛スピードでかけぬけていく。

「歩くときは前をしっかり見ろ! じいちゃんが病気に感染したのは……交通事故が原因だったんだ。」


おじいさんが言うように「交通事故が原因でウイルスに感染する」ことなどあるのだろうか。

解説　C型肝炎

レイのおじいさんはかつて交通事故にあい命にかかわる大ケガを負った。このときに使われた輸血用の血液にC型肝炎のウイルスが混ざっていたのだ。C型肝炎ウイルスは、肝臓に深刻な病気をもたらす原因になるウイルスだ。

しかし、現在ではこうした危険はないから安心してほしい。おじいさんは、レイに注意をうながすために「交通事故のせいで」と言ったが、今は輸血用の血液や血液製剤はきびしく検査されているので、輸血をしてウイルス感染することはありえない。1992年以前の輸血、1988年以前の血液製剤ではチェックが不十分だったものがあった。多くのウイルス保持者は、レイのおじいさんのように発症することなく生活している。だが、発症する可能性はあるので、定期的に検診に通っているわけだ。輸血のほかに、注射針の使い回しが原因で感染が広がった例もよく知られている。家族にC型肝炎の人がいる場合は、血液がつく可能性のあるもの（カミソリや歯ブラシなど）を共用してはいけない。

新人バイトの悲劇

危険→なぜ？

1週間前からオレの新しい仕事場になったのは、たくさんのニワトリを飼育している養鶏場である。

これまで、オレはいろんな仕事を転々としてきた。というか、どの仕事も1か月もたたないうちにひどいミスをやらかしてクビになってしまうのだ。事務の仕事では毎日居眠りを注意され、スーパーでは大量の魚を冷蔵室に入れ忘れてくさらせ、コンビニ勤めのときはスケジュールをまちがえてばかり。ピザ屋の配達では迷子になって店にさえ帰れなくなる始末。

いったいどんな仕事を選べばいいのかなやんでいる矢先に、友だちの親が経営する養鶏場を手伝わないかとさそわれたのだ。今度こそがんばらなくちゃ！
ケッケッ　コケッ　コッコッコケーッコッコ　ケコケーッ
それにしてもニワトリたちの鳴き声はやかましい。なんだか怒っているようにも聞こえてくる。あっ、しまった！
一番はしの列のニワトリの水入れがからっぽだ。ここの列だけ、朝、水を入れるのを忘れちゃったんだ。オレはあわてて自動給水器のほうへ走った。

次の朝早く、鶏舎に入ったオレはぼうぜんとした。

はしっこのケージに1羽、ぐったりしているニワトリを見つけたのだ。

そっとさわってみると、そのニワトリは死んでいた。

やばい。きのう水やりを忘れたせいじゃないか……。

「おはよう、ホンダくん。仕事はなれたかな？」

後ろから、養鶏場のオーナーであるイトウさんの声がしたのでオレはビクッとした。イトウさんはすごくやさしく仕事を教えてくれる。だけど、オレがやらかしたことを知ったら……!?

「はい、だいぶなれました。すべて異常なし、順調です！」

オレはとっさにこう言っていた。

「ハハハ、頼もしいね。わからないことがあったら、すぐに言ってくれ。」

イトウさんが行ってしまったので、ホッとした。

死んだニワトリは、こっそり敷地内のすみっこにうめた。この養鶏場には2万羽近いニワトリがいるんだ。1羽くらいいなくなってもバレやしないだろう。


ところが、次の日。

はしの列のニワトリの様子を一応確認しておこうと思ったら。

朝、なんとなく食欲がなさそうに思えたニワトリが死んでいたんだ。それも5羽も。どうしよう。そろそろだれかが卵を集めに来る時間だ。急いでかくさないと。

オレは急いで死んだニワトリを腕にかかえたが……。

「おい、それ、どうしたんだ!?」

万事休す。きのうニワトリをうめた場所に行こうとしたところで、イトウさんに出くわしてしまった。

「ニワトリをはなせ！　ほら、早く！」

「す、すみません！」

オレは必死の思いで頭を下げた。

「ぼくのミスなんです。じつはおととい水をやり忘れちゃって。それから元気がないと思ったんですが……。」

イトウさんは目をつり上げ、さらに激しい口調で言った。

「そういうことじゃないんだよ！　いいから早くニワトリを下に置くんだ！」


イトウさんは、ニワトリが死んだことで主人公を責めているのではないようだ。では何を心配して声を荒らげているのだろうか。

解説　鳥インフルエンザ

主人公は、自分のミスでニワトリが死んだと思いこんでいる。だが、オーナーのイトウさんはニワトリが5羽もいっぺんに死んでいるのを見て、真っ先に鳥インフルエンザを疑ったのだ。

もし1羽が感染症にかかったら、集団感染するのはあっという間だ。保健所に連絡してニワトリが死んだ原因を調べ、感染症とわかれば鶏舎のニワトリをすべて検査し、感染したもの、感染の疑いのあるものはすべて殺処分することになる。なお、感染症で死んだ疑いのある動物は、勝手に土にうめてはいけない。

鳥インフルエンザは、めったに人に感染することはない。ただし、きわめて身近で接していた場合、まれに人間に感染することがある。イトウさんは、ニワトリの心配だけでなく、主人公の体を心配して怒っているのである。

鳥にかぎらず弱っている動物や死んだ動物、またそのフンなどにさわるのは危険だ。もし、ふれた場合はすぐ、きれいに手を洗うこと。

ウイルスはどこから？

感染→なぜ？

勤め先の鶏舎から、鳥インフルエンザを発症したニワトリが出たとわかった次の日のこと。オレはその鶏舎のニワトリがすべて処分されることになったと聞いて、ぼうぜんとしていた。

調べたところ、ほかにも感染したニワトリがたくさんいたそうなんだ。同じ鶏舎の中では感染が広がるのはあっという間で……一羽一羽検査している間にも感染は広がりかねないという。

さすがにガックリきているオーナーのイトウさんの背中を見ながら、オレは腹立たしい気持ちだった。でも、この怒りをどこに向ければいいいんだ⁉

そもそも、なんで突然、鳥インフルエンザが発生したんだろう。

人間の場合は、学校とか会社とか、町に出かけたときに、だれかから感染するんだろうが、鳥はどこにも出かけないじゃないか。

オレが疑問をぶつけると、イトウさんは笑って言った。

「人間の場合だって同じだよ。必ずしも直接人から感染するわけじゃない。ウイルスは目に見えないくらい小さくて、どこから運ばれてくるかわからないしね。だから、手洗いやうがいが大切なんだ。」

なるほど。ニワトリは手洗いやうがいができないから、人間より不利だな……。

イトウさんは続けて言った。

「今、感染源を調べているところでね。」

「そんなことができるんですか？」

「一口に鳥インフルエンザといっても、いろんな種類の型があるんだよ。人間のインフルエンザもそうだけど。周囲を調べて、同じ型のウイルスが出てきたらそこから感染したと推測できるわけ。」

そこに保健所の人がやってきて、会話に加わった。

「そう。たとえば、これまでの例でいうと……よその養鶏場から来た車のタイヤについていた土からウイルスが運びこまれたというケースもあるんです。」

「へえ～。そんなこともあるんですね。」

うちが卵を買い取ってもらっている取引先には、同業者がたくさん集まる。そういうところで、だれかの服についていたウイルスを持って帰ってしまう可能性もあるわけだ。もちろん、その反対も……。


幸い、うちの養鶏場以外では、鳥インフルエンザが発生したところはないようだ。いいことだけど、なんだかモヤモヤする。

「じゃあ、うちの鳥インフルエンザウイルスは、いったいどこからやってきたんですか?」

さっきから、のんきにタブレットで動画を見ているイトウさんに話しかけた。

イトウさんがオレの質問にも答えずに見入っている画面をのぞきこむと、画面には「かわいい動物♪　投稿動画」というタイトルが表示されている。

ヒヨコヒヨコ歩き回るニワトリの群れの中に、1羽だけ、茶色っぽいカモがまぎれこんでいる動画だ。カモがとまどったような顔をしながら「グワグワ」と鳴くと、ニワトリはそれにこたえるみたいに「ケッケッ」と鳴き返す。

「おしゃべりしてるみたい。カモ語とニワトリ語でコミュニケーションとれてるのかな?」「かわいい」「トリさんたち仲良しでほっこりします♪」……なんて、視聴者からのコメントもたくさんついている。

動画が終わると、イトウさんは人さし指を立てた。

「ホンダくん、つまりこういうわけだよ。」


イトウさんは主人公の問いに答えを出しているようだ。鳥インフルエンザはどこから来たのだろうか。

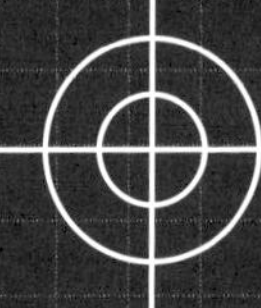

解説　感染源

ヒントはイトウさんが見ていた動画にある。たくさんのニワトリの中に1羽だけまぎれこんだカモは、野生のカモの可能性が高い。種類のちがう鳥たちが仲良くたわむれる様子は平和そのもの。だが、野生のカモはウイルスを持っている可能性がある。

イトウさんは、自分の鶏舎にもウイルスを持った野生のカモがまぎれこんだのかもしれないと言いたかったのだ。

カモのような渡り鳥には、ロシアや北極圏にすんでいて9～11月ごろになると冬をこすため日本にやってくるものが多い。ウイルスの出どころは国内とはかぎらないのだ。

さまざまな動物、鳥や虫が「ウイルスの運び屋」になる可能性を秘めている。もちろん人間もそう。しかし、野生動物の足取りや感染ルートを調べるのはとても難しい。特に鳥はやっかいな存在だ。なにしろ、空に国境はないのだから。

研修医とメガネ

危険→なぜ？

白衣を着てろうかを歩いていると、医者になったんだなぁという実感がわいてくる。まだ研修医だから医者の卵みたいなもので、勉強しなきゃならないことは山ほどある。でも、患者さんからすればぼくだってりっぱな医者なんだから、しっかりやらなくちゃ。

「ヨシダくん、きょう入院のタケベさん、病室に入ったよ。5階の個室。ぼくもすぐに行くから、先に説明をしておいてくれる？」

ぼくの指導医であるオオクラ先生から内線電話がかかってきて、こう言われたのはついさっきのこと。

あ〜、一人だと心細いなぁ。

深呼吸をしてから、ドアをノックする。

「失礼します。」

病室に入ると、入院患者のタケベさん（65歳）と、つきそいのおじょうさんらしき人が座っていた。

「このたび、タケベさんの担当医となりましたヨシダと申します。オオクラといっしょに入院中の治療をさせていただきます。よろしくお願いいたします。」

ていねいにおじぎをする。

「こちらこそ、よろしくお願いします。」

「お世話になります。よろしくお願いしますね。」

新人研修医まるだしのぎこちないあいさつだったかもしれないが、笑いかけてくれてホッとした。

病状と手術についてはオオクラ先生が説明することになるので、まずは入院中のスケジュールや病院食などについて話し始めた。緊張のせいか汗がにじんできてメガネがずり落ちる。マスクをしているせいで、よけい汗が出てくるのか。

っていうか、このメガネ、ネジがゆるんじゃってるんだよね。メガネ屋さんで直してもらっておけばよかった。だらしなく見えてるんじゃないか。よくないなぁ。

話しながら、鼻にかかるブリッジをさりげなく押し上げるが、カルテを見ようと目線を下げるとまたずり落ちてしまう。

そのときノックの音がしてオオクラ先生が入ってきた。助かった！

「オオクラ先生、こんにちは。よろしくお願いします。」

「タケベさん、こんにちは。ずいぶん顔色がいいじゃないですか。」

オオクラ先生が加わると一気に病室の空気がやわらぐ。

「さ、ヨシダ先生、もうちょっと続けて。」

え～っ。オオクラ先生が来たらまかせられると思ってたのに。

いや……ダメだ、こんなあまえた態度じゃ！

ぼくは気を取り直して、説明を続けた。

タケベさんの病室を出ると、オオクラ先生がニヤニヤして言った。

「50点ってところかな。」

うっ、思ったよりひどい。ぼくが説明しているとき、オオクラ先生はあまり口をはさまなかったし、まあまあのできかと思ってたのに。

「ヨシダくん、説明は上手だったよ。でも、病院に勤める人間としてかなり大きなミスがひとつあった。」

「大きいミス……ですか？」

なんだろう。ぼくが考えていると、オオクラ先生はまじめな顔になった。

「そのメガネ、すぐに直しておいて。」


メガネと医療の間には何か重要な関係があるらしい。オオクラ先生の言葉にはどんな意味があるのだろうか。

解説　院内感染

オオクラ先生は、ヨシダがメガネを押し上げるたびに鼻にさわったことを問題にしている。「MRSA（メチシリン耐性黄色ブドウ球菌）」という細菌は鼻の穴にすみつきやすく、鼻の周辺の皮膚にくっつきがちだ。毒性は弱いので、健康で症状が出ないまま菌を保持している人は多いとされる。ただし、抵抗力が弱っている人、大きな手術を受けた人がこれに感染すると重症化することがあるのだ。

だから、病院に勤める人は「首から上にさわらないように」と教育されている。それでも、人はけっこう無意識に髪の毛や鼻、口にさわってしまうものだ。医者や看護師がマスクをするのは飛沫感染を防ぐ以外の効果もある。たくさんの病人が訪れる病院では、いろいろな可能性を考えて「院内感染」の対策をしている。感染が心配される現場で医者が腕時計や指輪をはずすのも、これらに細菌やウイルスを付着させないため、手洗いのとき手首までしっかり洗うためである。

予防接種の男

感染→なぜ？

「今年もインフルエンザが流行のきざしです。」

テレビのニュースを耳にしたササキは、苦笑した。彼の勤める会社でも、きょうインフルエンザのために休んだ社員が3人もいたのだ。

(冬になるとインフルエンザが流行るとわかってるのに。なんでみんなインフルエンザの予防接種をしないんだろうな。)

彼は1か月ほど前にインフルエンザの予防接種をしたばかりだった。インフルエンザの予防接種を受けてから効果が現れるまで2週間ほどかかる。なので、ササキは本格的に寒くなる前、毎年11月ごろに受けることにしている。

12月のある日。

朝、目を覚ましたササキは体の異変に気がついた。

ひどくおなかをこわして、体に力が入らない。

（めったにおなかをこわさないのに、おかしいな。悪いものを食べた心当たりもないし。）

なんだか吐き気もして、何も食べたくない。それにだるくてしょうがない。

（胃腸炎だったらいやだな。医者に行ったほうがいいかも。）


2時間後。医者はイスをくるりと回して、マスクの下で口を開いた。

「えーと、ササキさん。検査の結果が出ました。インフルエンザですね。」

ササキは信じられないという顔で医者を見つめた。

「それはありえません。ぼくは11月に予防接種を受けたんですよ。インフルエンザにかかるわけないじゃないですか!?」

ササキは本当にインフルエンザにかかったのだろうか。

解説 インフルエンザ

インフルエンザウイルスには大きく分けてA型、B型、C型の3種類がある。さらにそれぞれの型の中にもいろいろな種類がある。ウイルスは生きのびるために形を変えながら進化し、種類を増やしているからだ。科学者は日々新しいウイルスをつきとめ、今年流行しそうな型のワクチンを準備しているのだ。

しかし、もっとも流行りそうだと予測された型の予防接種を受けたが、別の型のインフルエンザにかかることもある。ササキはこのパターンだったわけだ。A型は高熱が出るが、B型はそれほどではなく「おなかにくる」症状が特徴といわれる。

また、予防接種を受けても絶対にインフルエンザにかからないわけではない。それでも、予防接種には「発症しても症状が軽くすむ」効果がある。そして、感染の可能性を減らすことは、世の中全体の流行を防ぐことにもつながるのだ。

人食いバクテリアの恐怖

危険→なぜ？

アライ耳鼻咽喉科のドアを開けると、院長のアライ先生がニコニコ笑いかけた。

「やあ、マーくん、久しぶりだね。今、何年生だっけ？」

「4年生です。」

「そうか、ちょっと見ないうちに背がのびたね。きょうはどうしたの？」

「えーと、のどがはれちゃって。」

ぼくは小さいころからこの医院に通っていて、アライ先生とは仲よしだ。うちから超近いこともあって、1、2年生のころはしょっちゅう遊びに来てたんだ。それでも先生はいやな顔もせず、待合室のすみっこでマンガを読ませてくれたっけ。

「どれ、見せてごらん。口を大きく開けて。」

アライ先生は、ライトを使ってのどを照らした。

「ありゃ、だいぶはれてるね。これは痛そうだ。ん？　傷ができてるな。」

ぼくは口を開けたまま小さくうなずく。

そのうち良くなるかと思ってほうっておいたんだけど、どんどんはれてきて、つばを飲みこむだけでも痛むのだ。

「なんでこんなとこに傷ができたの？」

「たぶん、あれだと思うんだけど……。1週間くらい前にパイナップルを食べたら、外側の皮がちょっと残ってて。飲みこんだらのどに引っかかったんだよね。」

アライ先生は難しい顔をしている。

「こんなにひどくなる前に見せに来なきゃダメだよ。」

「でも、アライ先生ならどうなっても治してくれるでしょ⁉」

「こら、大人をからかうんじゃない。あ、もう一回口を開けて。ちょっと痛いけどがまんしろよ。」

アライ先生は綿棒で、はれたところを軽くこするようにした。

「～～～～～～っ！」

強烈な痛みにぼくは声にならない悲鳴を上げ、診察台の手すりをにぎりしめた。

「ごめんごめん。傷口の組織をとったんだ。念のため検査してみるからね。」

アライ先生はそう言うとサッと、奥の小部屋へ消えてしまった。

検査……？

ぼくはなんだか不安になった。


しばらくすると、先生が小部屋から出てきた。

「マーくん、今、うちにお母さんがいたら呼んでくれないかな。おうちの人に説明しておきたいことがあるから。」

ぼくは言われた通り、うちに電話をかけた。お母さんはすぐに来ることになった。

「あの……ぼく、何か悪い病気なの？」

すると、先生は重々しくこう言ったのだ。

「マーくんは〝人食いバクテリア〟にやられたらしいね。」

「人食いバクテリア⁉」

そんなおそろしいものがぼくの体に……⁉

ぼくは目の前が真っ暗になるのを感じた。

小さな傷口がはれあがったのは、〝人食いバクテリア〟のしわざだという。人食いバクテリアにおかされた主人公はどうなってしまうのだろうか。

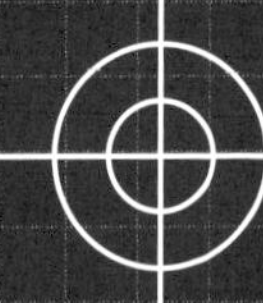

解説　A型溶血性レンサ球菌

主人公が感染したのは、「A型溶血性レンサ球菌」という細菌だ。食べたパイナップルの外皮にたまたま菌がついており、運悪く皮でのどを傷つけてしまった。この傷から菌が入りこんだのだ。レンサ球菌は、感染者の唾液、くしゃみやせきから人にうつる。家族にうつらないよう注意するため、先生はマーくんのお母さんを呼んだのである。

症状は、咽頭炎、発熱、水ぶくれなど。この菌はより危険な「劇症型溶血性レンサ球菌」に姿を変えることがある。変化する理由はわかっていない。「劇症型溶血性レンサ球菌」は体の細胞をどんどん荒らしていくため「人食いバクテリア」と呼ばれる。先生はマーくんに注意をうながすためにこの名前を出したのだ。

誤解を招かないように言っておくが、レンサ球菌はパイナップルにつきやすいわけではない。身近にあり、どこでさわっているかもわからない。傷口から入ると重くなりやすいので、小さな傷でも油断せずちゃんと消毒しよう。

うがいチャンピオン

失敗→なぜ？

「姉ちゃん、姉ちゃん、ちょっと手伝ってよ！」

弟のホクトがノックの音とほぼ同時に部屋に入ってきた。

「あたしが返事するまで入ってこないでって、いつも言ってるじゃん。」

「ごめんごめん、でもさ、すっごい急ぎなんだよ！　緊急事態！」

ホクトの用なんてくだらないことに決まってるんだけど。

「あ、そう。なんなの？」

ホクトは持っていたマンガ雑誌をパッと広げた。

「大募集！　動画王コンテスト・小学生の部」と書いてある。

「これに応募しようと思っててさ。読むから聞いてて。『たとえば工作、料理、音楽、お笑い、ゲーム、スポーツ、ペットの紹介レポートなど。そのほか自慢の特技などの動画を撮って送ってください。すぐれた動画は表彰し、本誌のホームページで紹介します』だって。」

「あんた、何をやるつもりなの？」

ホクトに特技なんてあったかな。

「うがいだよ。オレ、クラスで一番長くガラガラできるんだぜ。4年2組のうがいチャンピオンって呼ばれてるんだ。」

「ばかみたい。そんな地味な特技で応募したって、注目されるわけないじゃん。」

ところが、ホクトはひきさがらない。

「でもさ、意外性があるじゃん？　さっき、手の洗い方の動画を見て思いついたんだ。ほら、これ。100万回も再生されてるよ。」

ホクトはスマホを取り出して、動画を再生し始めた。

モデルみたいなお姉さんが「みなさんに正しい手の洗い方をご紹介します」と

言ってスタート。手を水でぬらしてハンドソープをよく泡立てて、手の平と甲にちゃんと泡をつけて、全体をこすりあわせる。両手の指を組むようにして指の間を洗う。指先を手の平に立ててつめの間を洗い、手首もていねいに洗ったら、泡をしっかり水で洗い流す。きれいなタオルできちんと水分をふきとって、おしまい。

「こういう感じにするからさ。うまく撮ってよ。」

ホクトはあたしを洗面所に引っぱっていった。

「いい？　じゃあ始めるからね。」

「はいはい。じゃ、撮影スタート！」

あたしはスマホをホクトに向けて、撮影ボタンを押す。

「こんにちは！　ぼくは学校でうがいチャンピオンと呼ばれています。きょうはみなさんに、正しいうがいのしかたを紹介します。」

ホクトはコップの水をいきおいよく口に流しこむと、ぐっと顔を天井に向けた。

ガラガラガラガラガラガラガラ……。

「待った、やり直し！　それじゃ絶対に優勝できないから！」

ホクトは念入りにうがいをしているのに、お姉さんはダメ出しをした。その理由はどこにあるのだろうか。

解説　有効なうがいの方法

手洗いやうがいは、体の表面についたウイルスが体の中に入ってしまう前に洗い流すことができる、手軽で有効な予防法だ。正しい手洗いのしかたはよく知られている。一方で、うがいのしかたは意外と知らない人が多い。

正しいうがいの方法は次の通り。

水を口にふくんだら、まず強めにブクブクしてから吐き出す。それから、また水を口にふくみ、上を向いて15秒くらいガラガラしてから吐き出す。このガラガラを2〜3回くりかえす。ガラガラは15秒以上長くやると、うっかり水を飲んでしまうことがあるので要注意だ。長くやればいいというものでもない。

ホクトは最初の「ブクブクして口内を洗い流す」という重要な手順をとばしている。うがいというと「のど」を洗うものと思いがちだが、その前に「口の中」を洗うことが大事。ガラガラより先に、手前のゾーンをブクブク洗うのが正しい手順だ。

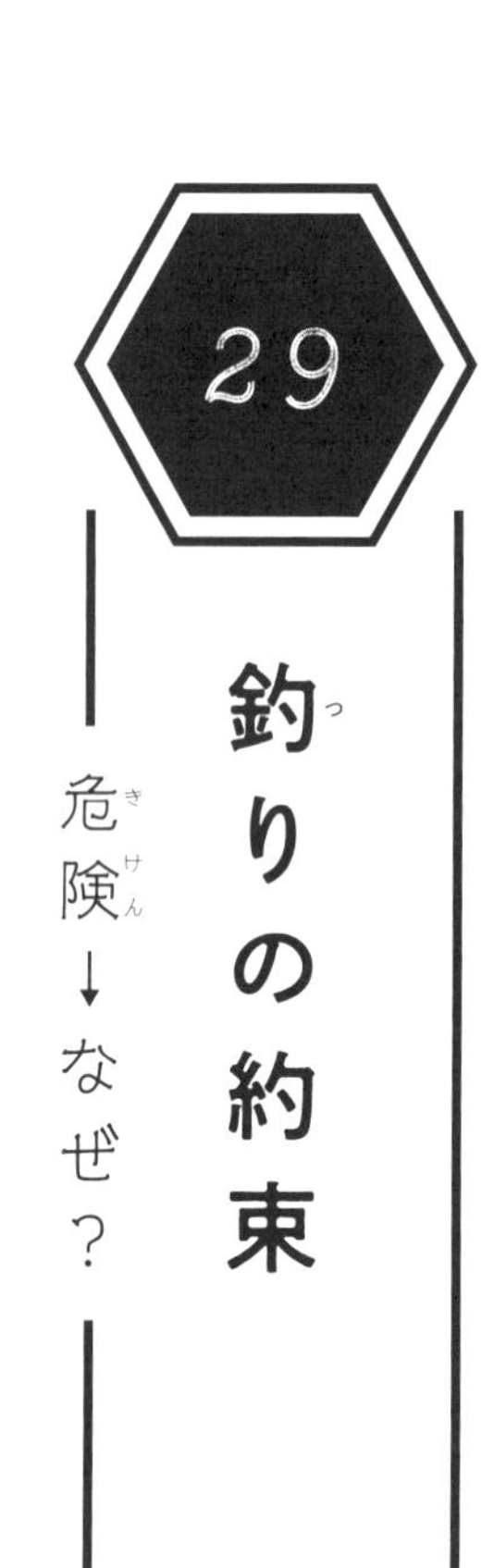

29 釣りの約束

危険→なぜ？

「おう、どうした？　今準備してるとこだけど？」

電話に出たサトウは、まるでいつもと変わらない調子だった。

オレとサトウはきょう、いっしょに釣りに行くことになっている。

だが、２日前のこと。サトウの勤め先のスーパーの前を通ったら、「新型コロナウイルスの感染者が出たため臨時休業します」とはり紙がしてあったんだ。

サトウはだいじょうぶなのか気になったが、もしかしたらいろんな人からメールやなんかが殺到してるかもしれない。こっちはサトウに気をつかって、あえて聞かなかったんだ。

そうこうしてるうちに約束の日になってしまったから、オレの方から電話をしたんだが……。

オレが問いただすと、サトウは笑って言った。

「ああ、コロナのことね。知ってたんだ。つまんないな。きょう会ったらその話しようと思ってたのに。」

サトウがあっけらかんとしているので、ホッとした。

「だいじょうぶか？　店のほうはいやがらせとかされてない？」

「だいじょうぶ、オレも検査を受けてきたから。」

「で、どうだったんだ？」

「問題なしさ。検査では陽性だったけど、ラッキーなことに無症状だったから。まあ、くわしい話はあとでするよ。店は1週間くらい休業することになるらしいし、たっぷり遊べるぜ。」

オレはため息をついた。

「いや、釣りは中止だ。」

主人公はなぜ釣りを中止にしたのだろうか。

解説　無症状の感染者

新型コロナウイルスは、ウイルスに感染（ウイルス検査で陽性）していても症状が出ない「無症状」の感染者が多いといわれる。ウイルスに感染しているのに、本人は健康そのものというわけだ。新型コロナウイルスについてはまだわかっていないことが多いが、今のところ「無症状でもウイルスを人にうつす可能性はある」と考えられている。

また、サトウの場合、今は潜伏期間中でこれから症状が出る可能性だってある。まだ「無症状」と決まったわけではないのだ。だから、具合が悪くなくても一定の期間、人との接触をさけなければいけない。

「陽性だったけど無症状」なのがラッキーというより、「症状がないのに検査を受ける機会があって、じつは感染していたとわかった」のがラッキーと考えるべきだろう。

強い日差しで目を覚ました。台風が過ぎたあとのウソのような快晴で、全身にびっしょり汗をかいてる。

（もう2時か！　ちょっと昼寝のつもりだったのにずいぶん寝ちゃったんだな。）

階段の途中で1階の様子をうかがうと、お父さん、お母さんは片づけの真っ最中だった。

（あ、水が引いてる。よかったぁ。）

ぼくはホッと胸をなでおろした。きのうの今ごろは、10年に一度といわれる大規模な台風にふるえ上がっていた。はげしい雨、家がガタガタゆれるほどの暴風。

夕方には近くの川があふれ、１階は水びたしになってしまった。

お父さんとお母さんがニュースをチェックして、近所の人と避難所に行くかどうか相談しているのを見ながら、ぼくはずっとドキドキしていた。前に、屋根の上からヘリコプターに救出される人の様子をテレビで見たことがある。役に立つかもしれないと思って、うき輪やビニールプールを引っぱり出してみたりした。

あれは6時くらいだったか。いきおいよく１階に水が流れこんできてガチャンという音がした。お父さん、お母さんと階段から見下ろすと、低い食器棚が倒れていたんだ。イスもプカプカういていた。

（あのときはどうなるかと思ったけど。）

最高60～70センチくらい水がたまっていたが、幸い、そのあとは少しずつ水が引いていった。

「もうだいじょうぶだから寝なさい。」

そう言われたものの、やっぱり不安で、きのうの晩はろくに眠れなかったんだ。

「もっと寝ててよかったのに。」

「もうじゅうぶん寝たよ。ぼくも手伝う！」

「そうか、助かるな。じゃあ、目立つゴミを拾って袋に入れてくれ。割れたガラスは拾っておいたけど、まだ細かい破片があるかもしれないから、これをはいて。」

お父さんが、げたばこの上にあったぼくの長ぐつをわたしてくれた。それから、お茶のペットボトルとゴム手袋も。水は引いたといっても、床の上は深さ10センチくらい、どろ水がはってる状態だ。

「ねえ、雨水なのに、なんでこんなにきたないわけ？」

「川があふれて、どろを運んできたからだよ。」

「あ、そうか。」

ゴム手袋をはめ、長ぐつをはくと、ぼくはそろそろ歩き始めた。どこからか流れてきた木の枝とか、空き缶、バナナの皮なんかを拾い集めていると……。

「うわっ！」

足もとがズルッとすべってころんでしまった。長ぐつの中にどろ水が入っちゃって気持ち悪い。

あたりを見回すと、ビーチサンダルがあった。これでいいじゃん。サンダルだってけっこう厚みがあるから、細かいガラスくらいふんでも足に刺さりやしない。足がよごれるくらい、かまわない。暑さの中、グチョグチョの長ぐつなんかはいてるよりずっと快適だ！

しばらく作業をしていると、開け放してあった窓からアサカさんのおじさんが顔を出した。おじさんは、町内会の会長さんだ。

「ヒロキくん、お手伝いしててえらいね。ずいぶんきれいになったじゃないか。お父さん、お母さんは？　さしいれのおにぎりと冷たいお茶を持ってきたよ。」

「ありがとうございます。お父さーん、アサカさんが来たよ！　お母さーん！」

ぼくが窓に近寄ろうとすると、アサカさんは急に顔色を変えて言ったんだ。

「ヒロキくん、それじゃ病気になるぞ。そこにある長ぐつをはきなさい！」

おじさんが「ケガ」ではなく「病気」を心配して、長ぐつをはくように言っているのはなぜだろうか。

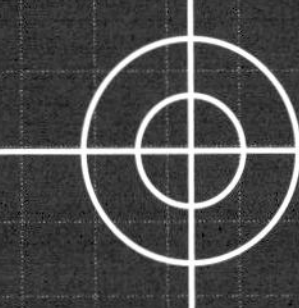

解説　洪水

大雨で川があふれたときに流れてくる水はとても不潔だ。川の水はどろだけでなく、じつにいろんなものを運んでくる。たとえば下水やトイレの汚水、くさった生ゴミ、ペットや家畜・野生動物のフンなども混ざっているかもしれない。どんなウイルスや細菌が混ざっているかわからない。

足もとが見えにくいから、割れたガラス、流されてきたクギや木片などでケガをする危険もある。傷口から悪い病気に感染する可能性も高い。サンダルで活動するなんてもってのほかというわけだ。虫刺されをかきむしったくらいの小さな傷、つめの間などからもばい菌は侵入してくる。

こんな状況で作業する場合は、できるだけ体の表面をおおうのが鉄則だ。ゴム手袋にゴム長ぐつ。レインコートがなければ長そでで、長ズボンを着用。気温が高いときは熱中症にも気をつけなければいけないが、マスクやゴーグルを着ければベストだ。

アルコールはほどほどに

理由↓なぜ？

「いらっしゃい、サワキさん。」

行きつけのバーのとびらを開けると、とうめいのアクリル板ごしにマスターがにっこり笑いかけた。

「こんばんは。」

「お～、久しぶり。」

カウンター席にこしかけているナガイさんはここの常連客だ。

オレはナガイさんからひとつおいた席にこしを下ろした。

「なんだよ～、おまえ、ここに座れよ！　オレのとなりがイヤなのかよ～。」

ナガイさんは自分のとなりのいすをバンバンたたく。

「ちがいますよ。ここじゃ、席をひとつ空けて座るルールでしょ?」

「あ、そうかそうか、そうだったなぁ。」

ナガイさんは、かなりよっぱらっている感じだ。

「感染対策、やってますね。」

オレがアクリル板を指さすと、マスターはうなずいた。

「そりゃ、こんな状況ですから。お店を開ける以上、やれることはちゃんとやらないと。」

「それにしても、いまどき飲食店は大変ですよね。マスター、何か困ってることありませんか?」

「だいじょうぶだよ。ここの商店街は助け合いの精神が強くてね。トイレットペーパーが売り切れになったときも、近所のお店が分けてくれて。」

それからひとしきり、新型コロナウイルスが流行り始めたころの、トイレットペーパーやウェットティッシュ、マスクなどの買いしめ騒動の話になった。

「そういえば消毒用のアルコールはまだ不足してるみたいだけど。お酒で代用できないんですかね。お酒はアルコールが入ってるんだから。」

オレは手に持っていたビールのグラスをかたむけて、ほんの少しカウンターに流すとおしぼりでふいてみせた。

「あはは、残念。ビールはアルコール度数が5％くらいですから、消毒の役割は果たせませんね。」

マスターが静かに言うと、ナガイさんがパッと顔を上げた。

「そうだよ、前から思ってたけど、おまえって頭悪いよなあ。オレが飲んでるウォッカはアルコール度数95％なわけ。このくらいの酒じゃないと消毒用にはならないんだ。おまえ、小学校から勉強やり直したほうがいいよ。」

ナガイさんはウォッカのグラスを持って立ち上がり、オレの頭をバンバンたたいき始めた。

すると、マスターがこちらにやってきて、オレからナガイさんを引きはなした。

「ナガイさん、ちょっと飲みすぎですよ。それに……あなたこそ勉強し直したほうがいいですね。」

「あ？　今、なんて言った⁉」

「飲みすぎだって。それから勉強をし直したほうがいいと言ったんです。」

マスターは顔色ひとつ変えずに、ナガイさんのお酒に水を注いだ。

「オレは客だぞ。客の酒を勝手にうすめるなよ。」

「ちょうどよくしただけですよ。」

「なんだと⁉」

マスターはナガイさんを無視して、グラスの中身を全部カウンターにぶちまけてしまった。それからほほえみをうかべて言った。

「ナガイさん、きょうはもう帰ってください。今の1杯の料金はいただきません。最大限、有効に活用させてもらいましたしね。」

ナガイさんのお酒を水でうすめた上にカウンターにぶちまけ、「最大限、有効に活用した」というマスターの言葉は何を意味しているのだろうか。

解説 アルコール消毒

消毒用のアルコールがない場合、飲料用のアルコール（お酒）でも代用できる。ただしアルコール度数が低すぎると役に立たない。かといって度数が高すぎてもダメなのだ。消毒に適しているのはアルコール度数60～80％のもの。これ以上の度数だと揮発が早く、殺菌効果を果たさないうちに蒸発してしまうので意味がない。消毒用のアルコールを手にすりこむと、しばらくするとサラッとかわいてしまうのは、水とちがって蒸発しやすいためだ。こうした商品も、早く蒸発しすぎないようにアルコールの量が調整されている。

消毒用アルコールが不足したとき、酒造メーカーが代用になるアルコール度数のお酒を「消毒に使える」と明記して売り出したのは本当の話。つまり、ナガイさんが飲んでいた95％以上のお酒はそのままでは消毒に使えないが、60～80％ほどにうすめれば有効なのである。ただし、飲料用として販売されているお酒には、糖分など消毒には向かない成分もふくまれていることは理解しておこう。

とっておきの薬

危険↓なぜ？

「ハクション！」

となりの席のオオタさんを、カズシは心配そうに見た。

「オオタさん、だいじょうぶ？　さっきからずいぶんくしゃみが出てるけど。」

オオタさんは……マスクをしているので目だけでにっこり笑ってみせた。

「うん、風邪ひいたっぽいね。」

「つらかったら、早退して病院に行ったほうがよくない？」

「でも、仕事たまってるしね。くしゃみと、ちょっとのどが痛いくらいだから。熱はないし、今のうちに風邪薬を飲んでおけば治っちゃうと思うよ。」

「だったら、オレ、いいの持ってる！」

カズシはデスクの引き出しを開けると、白い紙袋を取り出した。

「これ、あげるよ。前に病院行ったときもらった抗生物質の残りなんだけど。いざというときのためにとっておいたんだ。」

「え、いいの？　抗生物質なんて……ありがたい！」

たまたま通りかかった、上司のヨコイさんは2人の会話を聞くと足を止めた。

「だめだよ、そんなの。そもそも抗生物質は細菌が原因の病気にしか効かないんだ。ウイルス性の風邪だったら効かないよ。」

しかし、カズシは自信たっぷりに言った。

「そんなことぐらい知ってますよ。でも、風邪をひいて免疫力が落ちてるときには、細菌感染もしやすいですよね？　だから念のために飲んでおいて悪いことはないでしょ。」

ヨコイさんはオオタさんの手から抗生物質の袋を取り上げると、ゴミ箱に投げこんだ。

「とんでもない。抗生物質はいろんな細菌によく効くからこそ、やたらに飲んだら危険なんだ！」

「よく効くからこそ危険」という言葉にはどういう意味があるのか。ヨコイさんはなぜ抗生物質を取り上げたのだろうか。

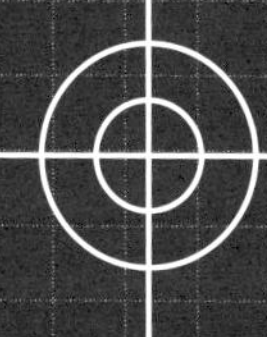

解説　薬剤耐性菌

抗生物質は、細菌が原因の病気のとき処方される薬。「よくなったから」と自己判断しないで、もらった薬を最後まで飲みきること。よくなったと思っても、体内に細菌が残っていることがある。そうすると生き残った細菌は、体内で抗生物質が効かない「薬剤耐性菌」に進化してしまう可能性があるのだ。こうして誕生した「薬剤耐性菌」が、人から人へ感染したらどうなるか？「抗生物質が効かない病原菌」なので、これに対抗できる新しい薬の開発が必要になる。薬剤耐性菌の発生は世界的な問題となっており、抗生物質の正しい使用が広くうったえられている。

わたしたちの体の中にはもともと、体を守ってくれるさまざまな「良い細菌」がある。やっつけるべき細菌がないのに、幅広い細菌に効く抗生物質をむやみに飲むと、「良い細菌」まで殺してしまう。そして「薬剤耐性菌」が生まれやすい環境を作ってしまうことになるのだ。抗生物質は、病院で処方された分量をしっかり飲みきること。あまらせたり、勝手に他人にあげたりしてはいけない。

「あ～ダメダメ、それじゃ。コツがあるから、オレがやるよ。」

キャンプ地に着いて、オレがテントの設営をしようとしていると、カナザワが大声で言いながら近づいてきた。

「そうか、じゃあまかせるよ。」

ホントはちょっとムカついたけど、まわりの空気を悪くしたくないからさっさと退却した。大学のサークル仲間、男女合わせて10人でキャンプに行くことが決まってから、オレはこの日を楽しみにしていたしね。

だけど、キャンプが趣味だというカナザワがやたらと知識をひけらかしてくるのには、内心うんざりしていた。

「よし、これでテントはＯＫ。みんな、中に荷物を入れて。食材はこっちにまとめよう。あ、手が空いてる男は大きめの石を集めてきてよ。かまどの準備をするから。作り方はオレが教えるから。」

なんて、カナザワくん、それ、何に使うの？」

「カナザワくん、それ、何に使うの？」

カナザワが車から竹を下ろすのをながめていた女子が言った。

「これはそうめんを流す台だよ。」

「すご～い！　それ、カナザワくんが竹を切って作ったの？」

「まあね。でも、そんなに難しいことじゃないよ。」

……だってよ。カッコつけちゃって。

夜はバーベキュー、昼食はカナザワの提案で流しそうめんをやることになっている。竹の流しそうめん台を組み立て始めるカナザワを、女子たちが取り囲んでるのを横目で見ながら、オレはかまど用の石を集めに行った。

いくつもの大きなボウルに、ゆでたそうめんが山盛りになっている。手分けをしてきざんだキュウリ、トマト、カニカマなどの具も用意できた。つゆを入れたコップと割りばしが、みんなの手にわたる。

さあ、いよいよだ。

……と思ったとき、カナザワがいないのに気がついた。

「あれ、カナザワは？」

みんなキョロキョロしている。言い出しっぺのあいつがいなくちゃ、始まらないっていうのに。

すると。

「ごめーん、待たせて！」

声がしたほうを見ると、カナザワがでっかい水タンクをかかえてやってくる。

どうしたんだろう。水ならたっぷり車に積んであるのに。

カナザワは、オレたちの前にドンと水タンクを下ろすとひと呼吸置き、満面の笑みで言った。

「これが流しそうめんをおいしく食べるための最強のしかけ。沢の水をくんできたよ。そうめんを流すのは冷たい水にかぎるでしょ！」

「カナザワ、やるじゃん！」

「風流でステキ！」

「めっちゃおいしそう〜。」

みんなの間から自然と拍手がわき起こる。

カナザワがそうめん台にタンクから水を流そうとした。

そのとき——。

オレはとっさにカナザワをつきとばしていた。

タンクがカナザワの手から落ちて、地面に水が流れ出す。

「おい、何するんだよ！」

カナザワとみんなの刺すような視線を感じながら、オレは口を開いた。

「オレはこのキャンプを台なしにしたくなかったんだ。」

主人公はカナザワがくんできた沢の水が「キャンプを台なしにする」と言う。その言葉は何を意味しているのだろうか。

解説　水の衛生

山間を流れる沢の水は澄んできれいに見えても、生のまま飲んではいけない。同じく井戸水やわき水も「きれいでおいしい」イメージがあるが、衛生的とはかぎらない。

見た目にきれいで、手をひたせば冷たい……となると思わず口に運びたくなるけれど、こうした水は水質検査がされていない可能性が高い。野生動物の死がいやフンなどで汚染され、ウイルスや細菌、寄生虫などがひそんでいることがあるのだ。

じっさいに、O157などの病原性大腸菌が混ざった沢の水を飲んだことが原因で、下痢や嘔吐を起こしたケースも報告されている。

沢の水などを口に入れる場合は、必ずわかして沸騰させること。野外の水をフィルターを通してきれいにする浄水器も役に立つ。わたしたちがふだん使っている水道のじゃ口から出る水や、ペットボトルの飲料水は浄水処理され、きびしい水質検査をクリアーしているのだ。

高級旅館の朝ごはん

危険→なぜ？

ああ、いい香りのおみそ汁だなぁ。ごはんもツヤツヤ光っていて……。

となりを横目で見ると、T先生もニコニコしている。

「ほう、おいしそうだ。いかにも日本の朝ごはんという感じでいいね。」

よかった。気に入ってもらえたようだ。

わたしは『大人のごはん』というグルメ雑誌の編集部員だ。今回、「一流旅館の朝ごはん」という特集記事を担当するにあたって、有名な料理評論家のT先生に原稿を書いてもらうことになった。

舌のこえた編集部員が集まって会議を重ね、全国から朝ごはんが評判の旅館を選んだのだが……なにしろＴ先生は味はもちろん、盛りつけ方や器についてもきびしい人なのだ。

朝から刺身やステーキを出す旅館もあるが、この旅館の特徴はそぼくさだ。

土鍋で炊いたごはん、ワカメととうふのおみそ汁、アジの干物。見た目は地味だが、食材選びにはこだわりがあるし、調理にも手間がかかっている。

「梅干しは南高梅を天然塩でつけこみ、３年熟成させています。昔ながらのすっぱい梅干しですよ。」

おかみさんはかんたんに言葉をそえながら、たくさんの小鉢をならべていく。

キュウリとナスのつけもの、納豆、ひじきと大豆の煮物、インゲンのごまあえ、昆布の佃煮、辛子明太子、のり、生卵。

「卵は毎朝、近くの養鶏場から直接届けてもらっています。ニワトリのエサはすべて無農薬です。」

そう、この旅館で出る卵の仕入れ先については、わたしも調べてあった。

なんと１個５００円もする産みたて卵だというので、卵かけごはんが大好きなわたしは特に楽しみにしていたのだ。

　さあ、ようやく料理が全部並んだ。

「Ｔ先生、お先にめし上がってください。」

　わたしとカメラマンは料理の撮影を終えてからでないと、はしをつけるわけにいかない。カメラマンは小鉢の配置を整え、パシャパシャと何カットか撮ったところで、卵の入った小鉢を指さした。

「卵を割ってから撮影したほうがよかったですかね？」

「あ、そうだな。」

　そのとき、わたしはまだＴ先生がまだ一口も食べていないのに気づいた。

「Ｔ先生、遠慮なさらずにめし上がってください」と、言おうとしたとき、Ｔ先生の声がした。

「おかみさん、悪いけど卵を割りほぐす器を持ってきてくれないか。もちろん３人分だ。」

　わたしは、Ｔ先生とおかみさんの顔を見くらべた。

おかみさんは、目をパチパチしながら立ち上がった。

「は、はぁ……わかりました。すぐにお持ちします。」

おかみさんが出ていくと、T先生はお茶をすすった。

「仕事がら、健康は大事だ。万が一ということもあるからね……。」


卵は小鉢に入って出されている。T先生が別の器を持ってくるように頼んだのはなぜだろうか。

解説　サルモネラ

T先生は卵の入れてある器に卵を割り入れるのをさけたかったのだ。養鶏場から直接届けられた卵は、もしかしたら十分に洗浄されていないかもしれない。卵のカラにはサルモネラという菌がついている可能性がある。となると生卵の入った器に、卵を割り入れるのは100％安全とはいえないだろう。

サルモネラはニワトリの腸内にいる菌だ。外側にフンなどついていないにしても、卵のカラは体内で菌に汚染されている場合がある。

サルモネラが体内に入ると腹痛、下痢、嘔吐などの症状が起こる。子どもほど重症化しやすいので注意しよう。

サルモネラは牛や豚の腸内にもいるので、生焼けの肉から感染するケースも多い。ただしサルモネラは熱に弱いので、肉はよく火を通せば安心だ。

犬やネコ、ミドリガメなどの動物が菌を持っていることもあるので、動物にさわったあとはしっかり手洗いすることを心がけよう。

35

昔の病気

誤解↓なぜ？

きょう、お父さんに電話をしたのは来月むかえる70歳の誕生日の食事会の相談をするためだった。70歳は「古希」と呼ばれる節目の年齢だし、いつもよりちょっといいレストランでも予約しようと思ったのだ。だけど、お父さんの反応はうすい。

「特別なことはしなくていいよ。古希なんてなんとも思ってないし。気持ちだけで十分だ。」

そう言うと思ってたんだ。お父さんは年寄りあつかいされるのがきらいだ。60歳の還暦祝いのときも「昔とちがって、今の60歳なんてまだまだ若造だ！」なんて言っていたし。実際、今も退職した会社の相談役のような仕事をしているし、登山に油絵、ピアノなど趣味も多い。

「まあ、元気ならいいんだけど。お父さん、せきしてるけど、どうしたの？」

わたしはさっきから、それが気になっていたのだ。

「ただの風邪だろう。」

「熱は出た？」

「37度くらいの微熱が続いてるけど、それ以上にならないから心配ないよ。」

なんだかいやな予感がした。

「お父さん、もしかして結核じゃない？」

電話の向こうで笑い声がした。

「へえ〜、ずいぶんなつかしい病気を知ってるね。そういえばおまえ、学生のころ、新選組の沖田総司に夢中になってたもんな。『総司さま』とか言って。」

わたしは赤くなった。沖田総司といえば、江戸時代の終わりに活躍した新選組の中心メンバーだ。体を結核にむしばまれて血を吐きながらも、自分の理想を信じて戦い、27歳の若さで亡くなったイケメンの剣士。

「やだなぁ、そんな古いこと持ち出さないでよ！」

「ばかにしてるわけじゃないよ。結核ってドラマティックな雰囲気があるからな。『風立ちぬ』を読んだことあるか？　あれは感動したな。主人公の婚約者が結核で、高原の療養所に入る話。この小説が発表された昭和初期は結核が流行してて、まだ治療薬もなかったんだって。結核に効く抗生物質ができても最初は高くて、日本で手に入りやすくなったのはオレが生まれた1950年ごろかららしいよ。」

お父さんはぺらぺらしゃべっていたが、そこでまたはげしくせきこんだ。やっぱり心配だ。

「そのせき、いつごろから出てるの？」

「2週間前くらいかな。なあ、心配してくれるのはありがたいけど、結核なんて……そんな昔の病気のはずはないだろう？」

ほうっておくわけにはいかない。わたしはきぜんとして言った。

「お父さん、ともかく一度病院に行ってください。行かないなら、わたしが引っぱってでも連れていくからね！」

お父さんは結核は昔の病気だと言う。一方で主人公は結核の疑いを深めているようだが、今でも結核にかかる人はいるのだろうか。

解説　再興感染症

1935年には、結核は日本での死亡原因のトップで、当時は「不治の病」といわれた。抗生物質が広まって「治る病気」になり、落ち着きを見せたのは1950年代。「昔の病気」というイメージがあるが、1990年代ごろから再びじわじわと増え始め、現在、国内で年間1万5000人ほどの人が発症している。

結核にかかると微熱やせきが長く続き、食欲がなくなったりするのが初期症状。ほうっておいて重症化すると肺などがおかされ、命にかかわることもある。

結核菌は空気感染するが、体に入っても発症することは少ない。ただし、潜伏期間が長いのが特徴。長いこと体の中にとどまり、免疫力が落ちたときに発症しやすくなる。日本では現在、高齢の患者が増えているため、「結核は過去の病気ではない」と注意を呼びかけている。

かつて大流行して一度はおさまったが、再び発症者が増えている感染症を「再興感染症」という。結核はその代表的なものだ。

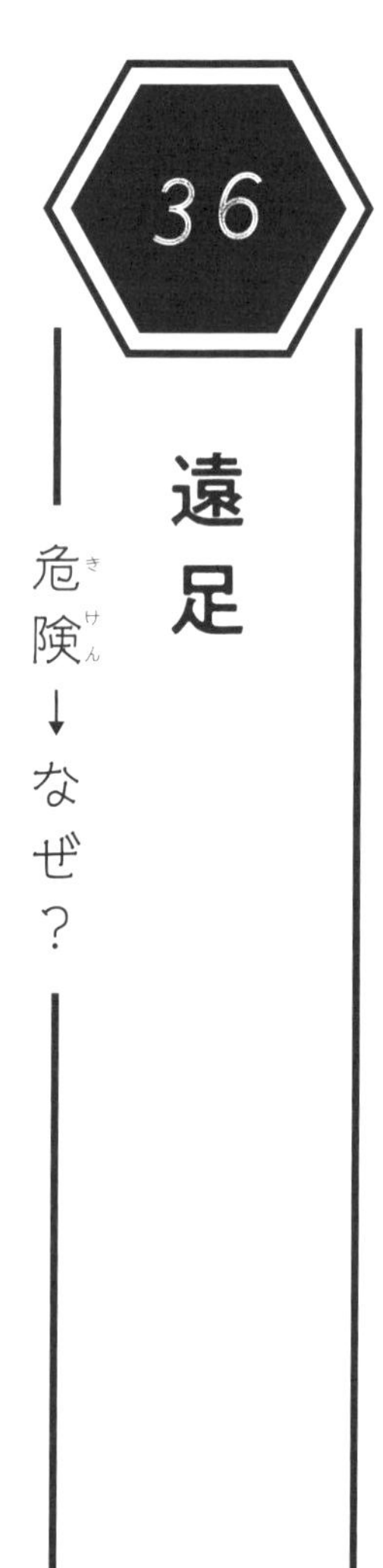

36 遠足

危険（きけん）→なぜ？

「ヒトミのハーフパンツ、めっちゃいいね。」

「ありがと！　ミオのデニムもカッコいいじゃん！」

ワカツキ先生はキャップのつばに手を当てて、クラスの女子たちがファッションの話で盛（も）り上がっているのをながめていた。

（山に遠足に来てまで服の話とはねぇ。まあ中学生ともなればオシャレに夢中（むちゅう）な年ごろだからしょうがないが。でも、長そで長ズボンで来るようにって言っておいたのになぁ。）

足首までかくれるジャージやスウェットパンツ、ジーンズをはいている女子は全体のざっと3分の2くらい。残りはひざたけくらいのハーフパンツ派だ。

ワカツキ先生はあたりを見わたした。

初夏の日差しを受けて、木々の葉がキラキラと輝いている。外を歩くには最高の季節だ。梅雨に入る前に、学生時代の仲間でもさそって山に登るかな。

ワカツキ先生は少しの間、ぼんやりと景色を楽しんでいたが、われに返ってホイッスルを吹いた。

「休けい終わり！　集合～！」

しゃべりながらばらばらと集まってくる生徒たちを男女のクラス委員長が並ばせ、人数を数え始める。

「男子は全員そろいました。」

「女子は……えーとヒトミとミオと、カナエがいませんね。トイレにでも行ったのかな。さっき3人いっしょだったんですけど。」

そのとき、3人が背の高い草むらをかき分けながらやってきた。

(あいつら、あんなとこまで行ってたのか。)

「おーい、みんな待ってるんだぞ。かけ足！」

ワカツキ先生がどなると、３人は笑い合いながら走ってきた。

「すみませーん。ヒトミが真っ黒なチョウがいるって追っかけるから。」

「あっ、でもカナエだって見たいって言ったじゃん。」

「はいはい、もうわかったから、整列しろ。」

ワカツキ先生は言いながら、列に並ぼうと向きを変えたヒトミのふくらはぎに目をとめた。

土でよごれているのかと思ったが、ちがうようだ。

（まさか……。）

「え、何？」

ヒトミはワカツキ先生が注目している自分のふくらはぎに目を落とした。

「いや〜っ！　虫、虫、何これ⁉」

１センチほどもあるまん丸の虫が、ヒトミのふくらはぎについていたのだ。

ヒトミは虫にさわりたくないらしく、ひざから下をぶんぶんふっているが、虫ははなれない。

「ちょっと！　動かないで！」

ミオが、虫をたたき落とそうと手をのばした。

そのとき。ワカツキ先生は、ヒトミとミオの間に割って入ったのだ。

「さわるな！　そのままにしておくんだ！」

ヒトミは虫に刺されたようだが、ワカツキ先生はなぜ虫をそのままにしておくように言ったのだろうか。

解説　マダニ

ヒトミにかみついていたのはマダニだった。体長約3〜4ミリだが、血を吸うと体が3〜4倍にふくれ上がる。かまれたときは痛くないことがあり、マダニが血でふくれた状態になって初めて気づくことが多いそうだ。

皮膚にかみついているマダニはつぶしたり、無理に引きはがそうとしてはいけない。ガッチリかみつくので、マダニの口の部分が皮膚に残ってしまうことがある。かまれたら手を出さず、すぐに皮膚科などで診察を受けること。

マダニは日本紅斑熱リケッチア、ライム病ボレリアなどのウイルスを運ぶが、特におそろしいのは重症熱性血小板減少症候群を引き起こすSFTSウイルスだ。潜伏期間は6日〜14日ほど。発症すると、血小板や白血球を減らしてしまうのだ。発熱、下痢、嘔吐などの症状が出て、命にかかわることもある。森林や草原では、はだがかくれる服装を。マダニは都心の公園などでも発見されている。犬やネコの体につくこともあるので、ペットを部屋に入れるときは必ずチェックしよう。

37 無口なトム

危険→なぜ？

ときは1960年代、アメリカ。

ジェファーソン家の夕食はいつもにぎやかだ。一家は、農場を経営する父さん、母さん。そして農場を手伝う長男のトムの下には幼い弟妹が3人いる。夕食にはさらにこの農場に働きに通うベン、チャーリー、マシューという大柄でよく食べる男たちが加わるので、母さんは毎日大量の料理をテーブルに並べるのだ。

その晩も、みんなはいつも通りとてもよくしゃべり、よく食べた。長男のトムをのぞいては。15歳のトムは反抗期まっさかり。ここ1年くらいは、父親に口ごたえをすることが増えていた。

みんなの会話に加わらず、ほおづえをついてスプーンでトマトスープをかき回していたトムに、父さんが声をかけた。

「トム、ちゃんと食べなさい。ひじをテーブルから下ろして。」

「はい。」

母さんはトムがスープをちびちびスプーンで口に運んでいるのをながめた。無口なのはいつものことだが、食が進まないのが気になった。

(つかれてるのかしら。ここのところいそがしい日が続いたし。)

トムは母さんの視線(しせん)に気づくと、小さくちぎったパンのかけらを口におしこんだ。

それからナプキンで口のはしをぬぐう。

「ごちそうさま。」

「どうしたの？　全然食べてないじゃない。」

母さんはトムのそばに行くと、ひたいにさわった。

「熱はないわね。」

「なんだか、くたびれちゃって。……もう寝(ね)るよ。」

弱々しい声でつぶやくとトムは立ち上がり、のろのろと階段を上がっていった。

「トムはどうしたんだい。病気なのか？」

ベンが言うと、チャーリーが深々とうなずいた。

「ああ、そうだな。オレの見たところトムはまちがいなく病気だ。15歳の男子がかかりやすい病気にかかってる。」

母さんは、思わず前のめりになった。

「チャーリー、あの子はなんの病気だっていうの？」

「トムはため息ばっかりついて、食べ物がのどに通らない様子だっただろ？　オレの経験からすると、あれは恋の病さ。トムは、となりのエリーにほれてるんだ。」

「いやねぇ、チャーリー。おどかさないでちょうだいよ。」

母さんは眉をつり上げたが、ホッとした表情になる。

「トムが恋だって⁉　それはないな。あの子は女の子より子馬に夢中だよ。」

ベンがまぜっ返して食卓はなごやかな雰囲気に包まれたが、マシューだけは笑っていなかった。トムの向かいに座っていたマシューは、さっきまで彼がいた席をながめていた。半分ほど残ったスープ。やけに小さくちぎったパンのかけら。そして、トマトスープでよごれた白いナプキン。

「おかみさん、トムはおたふく風邪にかかったことはありますかね?」

「ええ、だいぶ小さいときにすませたわ。どうして?」

マシューは、あごのあたりをさすりながら言った。

「そうか。なんだか口が開きにくそうに見えたんで。おたふく風邪にかかると、耳の下がはれて口が開きにくくなったりしゃべりにくくなるでしょう? トムはほおづえをついていたけど、あれはほおを押さえていたんじゃないですか?」

「そうね。でも、おたふく風邪ってことはないわ。熱もなかったし。」

「そうですか……。じゃあ、ちがいますね。」

そのとき、トムがゆっくり階段を降りてきた。

「水を……。」

トムは笑みをうかべながら、くぐもった声で言った。

「ねえ、本当にだいじょうぶなの?」

母さんから受け取ったコップを、トムは無言で口に押し当てた。口のはしから水がしたたり、床に水たまりができる。

「トム！」

父さんはハッとして立ち上がり、息子にかけ寄って座らせた。

「おまえ、どこかケガをしてないか？」

「馬小屋で、クギをふんで……。」

トムがつぶやくと、父さんは顔色を変えてどなった。

「ベン、チャーリー、マシュー！　ひとっ走り、医者を連れてきてくれ。今すぐにだ。これは一刻を争う病気だ。命にかかわるぞ！」


トムの様子がおかしいのはクギをふんだケガが原因のようだ。だが、父さんはなぜ「病気」だと考えたのだろうか。

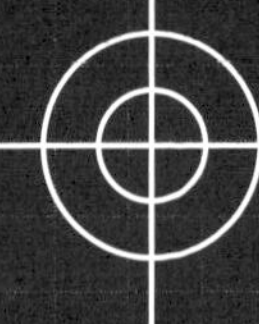

解説　破傷風

破傷風は、傷口に破傷風菌が入ることで感染する病気だ。発症すると、神経に障害が出る。初期症状では口が開きにくくなったり、食べ物を飲みこみにくくなったりする。顔の筋肉がこわばって笑っているような表情になるのも特徴のひとつ。早期にワクチンを接種すれば助かる率は高い。やがて、まひ症状が全身に広がると歩くのが難しくなり、体が弓なりにそり返ったりけいれんを起こしたりするように。この段階になると呼吸困難を引き起こすなど、生命の危険が高まるのだ。

破傷風菌は、土の中など酸素の少ない環境に生息する。傷ついた手で土にさわったり、古いクギをふんだりして感染する例が多い。ケガをしたら傷口を洗って砂を取り除き、消毒すること。発症すると数時間で重症化することがあるので「もしかして」と思ったら、すぐに病院に行くこと。日本人のほとんどは子どものころに破傷風の予防接種を受けている。効果は100%だが、効力は約10年で失われるので、土にさわる機会の多い人は20代以降も予防接種を受けておくと安心だ。

38 冷蔵庫のない家

危険→なぜ？

きょうから初めてのひとり暮らしが始まる。

あたしは開け放した窓から流れこんでくる、キンモクセイの香りのする秋の空気を胸いっぱいに吸いこんだ。

ベッドとソファー、テーブルにイスを置いたら……うん、けっこういい部屋じゃん。

まだ開けてないダンボールがいっぱい積み上がってるけど。

あたしはひと休みして、食料の買い出しに行くことにした。

近所のスーパーは食料品がけっこう安くて、あれもこれも買いたくなる。

あ、でも……冷蔵庫が届くのは3日後なんだった。

お米はあるから、レトルトパックのカレーをいくつか買っとこう。それから食パンに真空パックのハム、サバの缶詰、粉末スープをカゴに入れる。あ～、バターとマヨネーズを買いたかったけど、冷蔵庫ないからまた今度だな。

野菜はどうしようかな。まだ暑いから、一応レタスとかの葉物はやめとこう。くさらせたらもったいない。とりあえずタマネギとニンジンにしとこう。スープやサラダが作れるし。

なんだかんだでけっこう買っちゃった。

歩いてるうちに汗が吹き出してきたけど……この荷物の重さも「ひとり立ちした」って気分でなかなか悪くない。


次の日。

インターホンが鳴ると、あたしは玄関に走った。

「オリエ、いらっしゃい！」

親友のオリエは、本棚を組み立てるのを手伝いに来てくれたんだ。

「おじゃましまーす。冷たいもの買ってきたよ。」

「さすがオリエ、気がきく！」

オリエがわたしてくれたコンビニ袋には、よく冷えたジュースのペットボトルが入ってる。それから保冷剤つきのタッパーも⁉

「あ、それはママから。ポテトサラダ好きでしょ？　まだ冷蔵庫ないって言ったんだけど、これくらいならすぐ食べられるでしょって。」

「やったー！　すぐ食べよう。サンドイッチにしようか。すぐ用意するからその辺に座ってて。」

あたしはキッチンのワゴンに並べておいた食料を見回す。お客様にサッと手料理をふるまうのってカッコいいよね。

まな板と包丁を出して準備を始めるとオリエが言った。

「ねえ、その食材っていつ買ったの？」

「ん？　きのうだよ。」

オリエは立ち上がって、あたしのそばに歩み寄る。

「うーん。これは食べないほうがいいと思う。細菌が発生してる可能性がないとは言えないから。」


主人公が買い物をしてから丸一日が経過した。その食品の中でオリエが「食べないほうがいい」と指摘したのはなんだろうか。

解説　ボツリヌス菌

オリエが「細菌が発生している可能性」を指摘したのは、真空パックのハムだ。これは冷蔵庫に入れるべき食品。「真空パック」はレトルトパックとはちがい、冷蔵が必要なものがある。万が一、食品にボツリヌス菌が侵入していた場合、常温では菌が繁殖しているおそれがある。

ボツリヌス菌は、「空気がない状態で増殖する」という珍しい性質を持つ。つまり真空状態（酸素がない）で密封することで鮮度を保つ真空パック、缶詰、ビン詰めなどはボツリヌス菌が増殖しやすい環境なのだ。もちろん適切に保存されていればだいじょうぶ。真空パックにしてもレトルトパックにしても、パッケージに「要冷蔵」か「常温保存」可能か明記してあるので必ず確かめよう。常温保存できる食品も「１２０度で４分以上の加熱」などの指示書きを必ず守ること。ボツリヌス菌の毒素は１００度で10分加熱すると分解されて無毒化する。ボツリヌス菌による食中毒は、まひや呼吸困難など危険な症状を引き起こすことがあるので注意しよう。

39 日帰り温泉

危険→なぜ？

「あ、見て！『24時間営業の日帰り温泉』だって！」

ぼくは車の中から、看板を見つけてさけんだ。

「サトシ、よく見つけたな。じゃあ、そこに寄ってみようか。」

じいちゃんもうれしそうだ。

パパとじいちゃんとぼく、3人で山登りをしてきた帰り道。寄るはずだった温泉の前に「清掃のため本日休業」ってはり紙がしてあってガッカリしてたんだ。

ぼくは温泉とかスーパー銭湯が大好きなんだ。まず広くて気分がいい。お風呂の中からボコボコ水の泡が出てくるジャグジーも気持ちいいしね。

ガラリ。

はだかになるとパパやじいちゃんの先頭に立って、真っ先に浴場の戸を開ける。

ズルッ。おっと危ない。転びそうになっちゃった。

「サトシ、風呂でふざけるなよ。」

「はーい。わかってるよ！」

そう言いながらも、ぼくはつい走り出しそうになるのをこらえた。

「見て見て、滝みたい！」

高い所からまるで滝みたいにお湯が流れ出ている。

「あれは打たせ湯っていうんだよ。」

じいちゃんが教えてくれた。

「へえ～。初めて知った。」

早く風呂に飛びこんで、「打たせ湯」に当たりたいから、ぼくは洗い場でさっさと体を洗う。ゆっくり体を洗ってるじいちゃんたちは置いといて、浴そうに入ると……また足がすべって、今度はみごとに転んじゃった。

バシャン！　あっちちち。

やばい、怒られるかな。ふり向くと、パパはやけにまじめな顔をしていた。

「サトシ、お湯から上がりなさい。出るぞ。」

「ええっ、なんで？　今入ったばっかじゃん。」

そんなに怒らなくてもいいのに……。

パパは、周りを気にしながらぼくの耳にささやいた。

「もしかしたらだけど……ここは健康に悪い温泉かもしれないからだ。」

パパはこの浴場の環境から、何かを心配しているようだ。「健康に悪い温泉」というものがあるのだろうか。

解説　レジオネラ

主人公がこの浴場で二度も足をすべらせたのは、浴場のタイルや、浴そうのそうじが不十分でヌメリが発生しているからだった。ヌメリは栄養分が豊富で、微生物が繁殖するのに適している。施設の衛生環境に疑問を持ったパパは、レジオネラという細菌が繁殖している可能性を心配したのである。

レジオネラは39〜42度くらいのお湯で増殖しやすい。お湯を換えずに循環させて使い回すタイプの入浴施設はレジオネラが増えやすい環境といえる。もちろん、そうじが行き届いていればその心配はない。

レジオネラに汚染されたお湯が打たせ湯やシャワー、湯気によって空気中に飛び散り、エアロゾル（水滴が霧状になったもの）を吸いこむと感染が起こる。レジオネラ肺炎を発症した場合、幼い子や高齢者にとっては命取りになることもある。

ちなみに温泉には、トロリとした肌ざわりが特徴のお湯もある。硫黄をふくむ温泉などがそうだ。これは成分の性質によるので、衛生の問題とは関係がない。

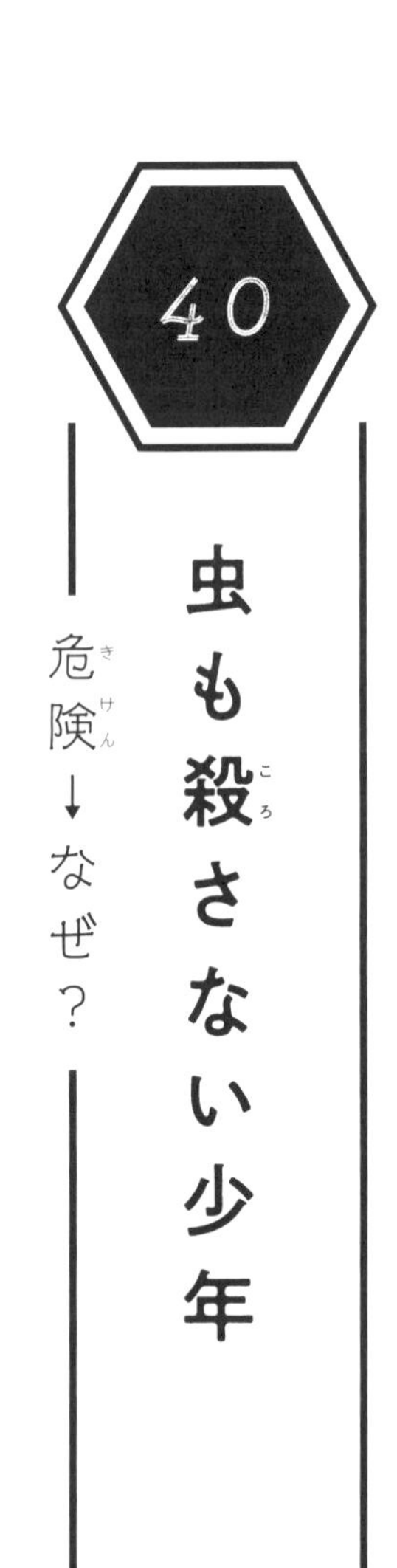

40 虫も殺さない少年

危険→なぜ？

ブーン　ブーン

給食の時間に、窓からハエが1匹入ってきて教室を飛び回り始めた。

「わっ！」

だれかがさけび声を上げた。いつのまにか、みんなおしゃべりをやめて、ハエの行方を目で追っている。

ハエは、学級委員のタツキの机のはしにとまった。タツキが手にしたノートをすばやくふりおろそうとしたとき。

「やめろ！」

トオルが横から夕ツキの腕をつかんだので、命拾いしたハエは机から飛び上がった。

「なんだよ、トオル。もうちょっとだったのに。」

「だって、かわいそうじゃないか。虫を殺すなんてよくないよ。」

トオルが言うと、ハエはその言葉に応えるかのように窓から出ていった。

「虫は人間よりずっと昔から地球にいたんだ。人間ばっかりえらそうに暮らしてるなんておかしいじゃないか。」

トオルは目をキラキラさせ、しばいがかった調子でこう言った。

タツキは、すっかりあきれてしまった。

(トオルのやつ、きのうのテレビを見たんだな。こいつ、影響されやすいからな。)

タツキもきのうの特別番組「昆虫たちの世界」を見ていたから、トオルの今のセリフが番組の受け売りだとわかったのだ。

しかし、一部の男子たちはトオルに感心しているようで、「言われてみればそうだな」「トオル、たまにはいいこと言うじゃん」なんて声が聞こえてくる。

タツキは、トオルのほうに向き直った。

「ハエやゴキブリは、ばい菌を運ぶ害虫だろ？　ばい菌をまき散らされたら不潔じゃないか。」

「でも、ハエが1匹飛び回ったくらいで病気になるわけじゃないし、部屋に入ってきたら逃がしてやればいいじゃん。小さな命だって大切にしなくちゃ。」

「じゃあ、蚊は？　トオルは蚊も殺さないわけ？」

トオルはくちびるをかんだ。しかし、「小さな命だって大切にしなくちゃ」なんてカッコいいことを言ってしまった手前、引っこみがつかない。

「ああ。オレは蚊がとまったら血を吸わせてやるよ。オレたちだって動物を食べてるんだから、おあいこじゃん。ちょっとかゆくなるくらい、どうってことないだろ？」

そのとき。

ブーン。

奇跡のようなタイミングで、蚊が1匹飛んできた。

タツキはサッと両手をのばし、手の間に蚊をとらえる。

パチン！

「なんだよ、人が言ってるそばから。おまえ、ざんこくだな！」

不満そうな顔をするトオルに、タツキは言った。

「『どうってことない』とはかぎらないからだよ。」


タツキは蚊に刺されても「かゆくなるだけ」とはかぎらないと考えているようだ。彼は何を心配しているのだろうか。

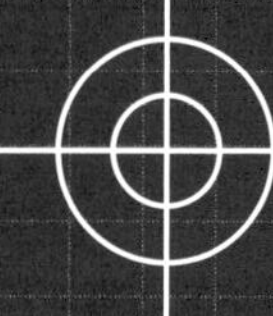

解説　デング熱

蚊は、デング熱などの感染症のウイルスの運び屋になることがある。蚊がデング熱のウイルスに感染した人の血を吸うと、蚊の体内でウイルスが増える。その蚊がまたほかの人を吸血することで、感染が広がるのだ。

デング熱の流行地は熱帯や亜熱帯の国がほとんどで、日本での発生は今のところほとんどない。

蚊が運び屋となる感染症はほかにもたくさんあるが、蚊はあくまでウイルスを運ぶだけ。蚊によって広まる感染症が流行していなければ、蚊に刺されたからといって心配することはない。

それでも念のため、無防備に蚊に刺されないよう心がけたほうがいいことは確かだ。夏場に屋外で活動するときは、虫よけスプレーや蚊取り線香を使うようにしよう。山や森林ではなるべく長そで、長ズボンを着用するのも効果的だ。

なんで、ぼくだけ？

誤解↓なぜ？

「お母さん。ねえってば、お母さーん！」

「はいはい、なあに？」

お母さんはようやくキョウイチのほうをふり向いた。

「見て見て。ドリル、こんなにできた。きょうだけでここまでやったんだよ。」

キョウイチは表紙に「小学2年　計算」と書かれたドリルを開いて見せる。

「あら、すごいじゃない。」

そう言ったけれど、お母さんは心ここにあらずといった感じだ。

お母さんがいそがしそうなのはキョウイチだってわかっている。だけど、かまってほしくて言ったのだ。

お父さんも、そんなキョウイチの気持ちに気づかない様子で、「お母さん、ユウジの具合はどうなんだ?」と言ったので、キョウイチはいじけてソファにゴロッと寝転んだ。4歳の弟、ユウジがはしかにかかってから、家の話題はユウジのことばかりなのだ。

「もうほとんど熱は下がってるの。食欲もあるみたい。」

「そうか、よかったな。」

お母さんはきびしい顔つきでお父さんを見た。

「でも、お父さんはまだユウジに近寄っちゃダメだよ。うつったら困るからね。」

「はいはい、わかってるって。」

お母さんは、バタバタと冷蔵庫を開けたり閉めたりしている。

「キョウちゃん。お母さんちょっと出かけるから、ときどきユウちゃんの様子見てあげてね。起こさないように静かにね。飲み物はここ。おなかすいたって言ったらこのプリンかヨーグルトならあげていいよ。」

キョウイチは不満だった。お母さんがユウジにかかりっきりなのはしかたがない。だけど、気になるのは、お父さんだけをユウジに近づけないようにしていることだ。キョウイチは、ユウジの部屋に飲み物やごはんを運んだりしているのに。

「ちょっと。キョウちゃん、聞いてたの⁉」

キョウイチは、ついにがまんできなくなった。

「ねえ。お母さん、ぼくは病気になってもいいの？　お父さんはうつったら大変なのに……ぼくにはうつってもいいと思ってるんだよね？」

するとお母さんはハッとして……それからクスクス笑い出したのだ。

「そっか。知らなかったの？」


お母さんが、はしかにかかったユウジの世話をキョウイチにさせる一方、お父さんを近づけないのはなぜだろうか。

解説　はしか

キョウイチは、自分がはしかの予防接種を受けており、ユウジからうつる危険性がないことを知らなかったのだ。ちなみにお母さんは、はしかにかかったことがある。はしかは、一度感染して症状が出た場合は一生かかることはないとされている。

一方、お父さんは、はしかにかかったことがなく、予防接種もしていないのだ。現在では、1〜2歳の間と小学校入学前に予防接種を受けるのが一般的だ。2回予防接種を受けていれば、免疫ができて感染することはほぼない。しかし、お父さんやお母さんの年代の人たちには、予防接種を受けていない人たちもいるのだ。

はしかにかかると皮膚に発疹が出て、熱が出る。感染力が強く、熱が下がったあとも3日程度は人にうつる可能性がある。命にかかわることはめったにない。だが、大人が感染すると、子どもより重症化しやすいといわれる。お母さんに説明を受けたキョウイチは納得し、きげんを直してせっせと弟のめんどうをみたのである。

食卓の上のピンチ

危険→なぜ？

学校から帰ってくると、パジャマ姿のお父さんがダイニングのイスに座ってたから、あたしはすごくうれしかったんだ。でも、あたしより先に口を開いたのはルカだった。

「うわー、お父さん！　起きられるようになったんだ！」

「ルカ、ユカ、お帰り。きょうはだいぶ具合がよくなったんだよ。」

「よかったぁ！」

ルカはお父さんのそばに座ろうとして、あわてて方向変換した。

「おっと。家に帰ったら、まずうがいと手洗いをしっかりしなくちゃね！　さ、ユカ、洗面所行くよ！」
あたしだってそのくらいわかってるのに。ルカっていつも、こういうお姉さんぶった言い方するんだよね！

ルカはあたしの双子の姉。ハキハキしてて機転がきいて、行動するのが早いからあたしはいつも出遅れちゃう。

でも、ハンドソープをしっかり泡立てて手を洗いながら、あたしは久しぶりに心がはずんでいた。お父さんがノロウイルスにかかってから1週間くらい。これまであんなに弱ってるお父さんを見たことがなかったから、すごく心配だったんだ。

あの夜。吐いたり、ひどくおなかをこわしたりしていて、長くトイレから出てこないお父さんが気になって、ろうかで様子をうかがってたとき。

「こっちに来ないで。うつったら大変だから。」

トイレの前に立つお母さんのきびしい表情に、これはただ事じゃないと思った。

それから、お母さんの言いつけをしっかり守るように気をつけたんだよ。外から帰ったときやごはんの前、トイレのあとは今まで以上にしっかり手を洗うこと。お父さんが使った食器はお母さんが洗うからさわっちゃいけないこと。ハンカチ、タオルはこまめにかえるとかね。

「2人ともしっかりしてきたな。」

「お父さんが寝こんでる間、わたしを手伝おうとがんばってたのよ。進んで買い物に行ってくれたりね。今朝のおかゆもルカが作ってくれたし。」

お父さんとお母さんの話し声が聞こえてきて、胸がチクッとした。こんなふうに、ルカだけがほめられるとき、いちいち嫉妬する自分がイヤだけど……。

あたしは気をとり直して台所に行く。お母さんは晩ごはんのしたくの真っ最中。きざんだタマネギやニンジンが山盛りになってる。

「お母さん、晩ごはん、何?」

「きょうはオムレツと……あ!」

お母さんがふり向いたとき、手から卵が入っていたボウルがすべり落ちた。黄身と白身がテーブルの上に広がり、床へポタポタ流れ落ちていく。

お母さんは卵をふきとり始めたが、運悪くペーパータオルが切れてしまった。

「ティッシュ、持ってきて！」

「はいっ！」

あたしはルカより早くティッシュケースに手をのばす。

ところが……。ついてない！　ティッシュも最後の1枚だ。

「待ってて！」

ルカがすばやく走っていく。あーあ、またルカにいいとこ取られちゃうな。

ルカは、すぐに両手にトイレットペーパーをたっぷり巻きつけてもどってきた。

あたしは目をみはり、テーブルにかけ寄ろうとするルカの前に立ちはだかった。

「ルカ！　それ、ダメだから！」


ユカはなぜルカがテーブルに近寄るのを止めたのだろうか。

解説　ノロウイルス

ノロウイルスはとても感染力が強い。ウイルスは感染した人の便や嘔吐物の中にひそみ、感染者が使ったコップやタオルから感染が広がることがある。発症後2～3週間は、便にウイルスが排出される。もっと長い間排出されたケースもあるそうだ。だから、家族に感染者が出た場合は念のため、トイレットペーパーのホルダーやドアノブ、電気のスイッチなども消毒したほうがいい。トイレットペーパーにもウイルスがついている可能性があるので、ユカはそれを食べ物のある場所に持ってくるのは危険だと気がついたのだ。もちろん、トイレ以外の場所に保管されていたトイレットペーパーなら問題はない。

ノロウイルスに感染すると、吐き気や腹痛など食中毒の症状を起こす。ノロウイルスに感染した二枚貝（カキなど）が原因になることが多いが、十分に火を通して食べれば危険はない。

焼肉屋事件

失敗→なぜ？

「本日　都合により臨時休業します　××焼肉店」

オレは店の前にはり紙をして、ため息をついた。

今、店には保健所の人が来ている。うちで食事をしたお客さんがノロウイルス感染症にかかってさ。うちが感染源じゃないかって疑われているんだ。

「なるほど。3日前にこちらのアルバイトのマエカワさんという方がおなかをこわして早退したと。その方がノロウイルスにかかっていたんですね。それがわかったのは？」

「その日、彼が病院からすぐに連絡をくれました。そのあとすぐ念入りに消毒をしたんですよ。」

店長は、けんめいにうったえている。

「マエカワさんは調理を担当していましたか？」

「いいえ、調理はしません。彼の仕事は注文を取るのと、料理を運ぶのがメインです。」

いやんなっちゃうな。お客さんがノロウイルスにかかったのがうちの店のせいだと決めつけられても困る。どこかほかの場所でウイルスを拾ったのかもしれないじゃないか。

「おーい、ミヤタくん！」

「はい！」

そろそろ呼ばれると思ってたぜ。この店の、そうじ全般を監督してるのはオレだからな。

「ミヤタくん、保健所の人が清掃と消毒についてくわしく話をしたいそうなんだ。」

オレは、保健所の人に明るく、堂々とした態度であいさつした。下手に出ることはない。きちんと消毒した自信があるんだからな。

「そうです。調理場はもちろん、店内のイスやテーブル、メニューも消毒しました。トイレ、洗面所は一段と徹底的に。」

「トイレのドアノブも？」

そうくると思った。ドアノブは見落としがちだけど、たくさんの人がさわる重要なポイントだ。

「ドアノブはもちろん、電気のスイッチなど、手をふれるところはどこもかしこも消毒しましたよ。」

オレは備品置き場のドアを開けた。アルコールをケチらずにたっぷり使っていることを証明したかったのだ。

「ほら、見てください。うちの店はアルコールもこんなにたくさん用意してあるんです。これをたっぷりスプレーして店じゅうをすみからすみまでふきまくりましたよ。」

オレは積み上がった段ボール箱の中から、「消毒用アルコール」と書かれたボトルを取り出して見せつけた。どうだ、見たか〜!

ところが……。

あれっ。店長はなんだか決まり悪そうな顔をしている。

「なるほど。ご協力ありがとうございました。」

保健所の人は真顔でノートにペンを走らせると、店長に向かって言ったのだ。

「お客さんがこちらで感染したかはわかりませんが……それはともかく一度、店内消毒についての研修を受けてもらったほうがいいですね。」

オレはポカンとして立ちすくんだ。

主人公は、きちんと消毒を行っていることをアピールしたが、保健所の人は「不備がある」と判断した。どこがまずかったのだろうか。

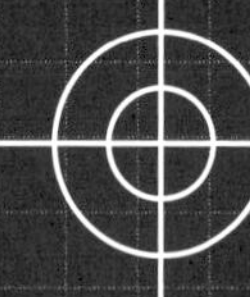

解説　消毒の方法

じつは、アルコール消毒は万能ではない。ウイルスの性質はさまざまだ。インフルエンザウイルスなどは、ウイルスのまわりに脂質の膜を持つタイプ。この膜はアルコールの消毒液で破壊され、感染力を失う。

ところが、ノロウイルスは脂質の膜がないタイプのウイルスで、アルコールは効きにくい。ノロウイルスには「塩素系漂白剤」が有効だ。台所用品や布の漂白・除菌に使われるものなどをうすめて使う。塩素系漂白剤はうすめすぎると効果がないが、一方で原液や濃すぎるものにふれると危険なので、大人にあつかってもらうこと。万が一、原液が目や口に入ったり手にふれたりしたら、すぐに大量の水で洗い流すこと。

ミヤタの「消毒」はノロウイルス対策としてはまちがっていたわけだが、店内、食材からノロウイルスは検出されず、このお店で食事をしたお客さんから新しい感染者は出なかった。ウイルスにどこで感染したかを特定することは難しいのだ。

44

免疫力アップの夕ごはん

危険→なぜ？


「パパ、タオルと着がえ、置いといたからね。」

「ナナちゃん、ありがとう！」

バスルームのドアごしにどなると、パパの声が返ってきた。

うちのパパは帰ってくるとまっすぐに洗面所に向かい、手を洗ってうがいをして、それからシャワーをあびる。新型コロナウイルスが流行り始めてから、これがパパの日課になった。ママが用意した着がえをあたしが運ぶのも、毎日のこと。

パパはコンビニの店長さん。お客さんと接する仕事だから、ウイルスに感染しないように人一倍気をつかってる。仕事中はずっとマスクをつけてるし、お店のレジにはとうめいのアクリル板を設置して、空気感染が起こらないようにしてる。おつりも手渡しじゃなくトレーに置くことにして、接触感染をさけているんだって。

そういう話を聞くうちに、あたしも自然と感染予防に気をつけようって思うようになった。テレビとかで役に立ちそうな情報を見たら、みんなに話すようにしてるんだ。めんどうくさがり屋のパパだってこんなに気をつけてるんだもん。

台所のテーブルでは、ママがお料理の雑誌を広げてる。

「ねえ、ナナ。この雑誌さっきスーパーで買ったんだけど……。」

「ママ、その雑誌、アルコールでふいた？」

「あ！　ごめんごめん、うっかりしてた！」

「ダメじゃん。いろんな人が立ち読みしてるかもしれないのに。」

ママは、アルコール入りのウェットシートで雑誌とテーブルをよくふくと、あたしに雑誌を開いて見せた。「特集・免疫力アップでウイルスを撃退！」だって。

「ウイルスに感染しないように注意するのは大事だけど、どんなに気をつけても絶対かからない保証はないでしょ。毎日の食事で、感染しにくい体をつくることが大事だって書いてあるんだよ。」

「へえ、おもしろそう！」

「おかずはたんぱく質、野菜をバランスよく……これは健康的な食事の基本ね。豚肉は免疫細胞の働きを活発にするビタミンBが豊富なんだって。さっそく豚肉買ってきちゃった。それから免疫力を高めるフィトケミカルがたくさんのキャベツにタマネギでしょ。食物繊維がいっぱいのきのこ類もね。食物繊維のβ―グルカンは腸の免疫細胞に作用するんだって。」


今夜のごはんは、豚肉のしょうが焼きにキャベツの千切り。タマネギのおみそ汁。それから、野菜ときのこのいためもの。

いためもののはコマツナとレタスと……。

「やだぁ、マイタケが入ってる。」

「きょう、マイタケがお買い得だったのよ。ちょっと食べてみなさいよ。ナナったらほかのきのこは食べられるのに、変な子ね。」

うーん、シイタケやエノキは好きなんだけど。マイタケはにおいが苦手でさぁ。

結局、あたしのお皿にマイタケだけ残っちゃった。

「ナナ、ひときれ食べてみたらどうだ？　練習だと思って。」

パパにうながされて、あたしは一番小さな切れっぱしを口に入れる。なんとか食べたけど……。

「うえ～。もう無理！」

「せっかくの免疫力アップメニューなのにねぇ。しょうがないなぁ。」

ママが、あたしのお皿を引き寄せた。

「ママ、ちょっと待って。あたし食べるから！」


ナナはなぜ急にマイタケを食べる気になったのだろうか。

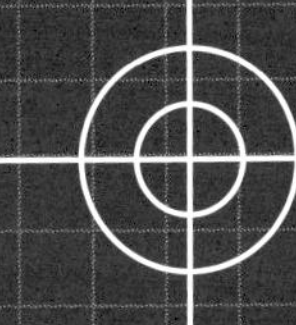

解説　唾液による感染

「うつさない」「うつらない」ための基本は、せきやくしゃみ、会話中のつばを飛ばさないこと、人と適切な距離をとること。唾液や鼻水などがついた手で、自分の口や物にさわらないこと。他人と食器を使い回したり、大皿にみんなではしをつっこんで食べたりするのもさけるべきだ。

ママはナナが残したマイタケを食べようとしたが、これも当然やってはいけないのだ。子どもの食べ残しを「もったいないから」と親が食べるのは日常生活ではふつうの光景だったが、感染症対策をする上ではやめたほうがいい。

新型コロナウイルスにかぎらず、感染症の多くは症状が出るまでには何日かかかる（これを「潜伏期間」という）。また、感染していても症状が出ない人がいることは見過ごされがちだ。予防を徹底するなら、つねに「自分がウイルスを持っているかもしれない」と思って行動した方がいい。

海外旅行のごちそうは

感染↓なぜ？

「ママ、あのフルーツ、なんだろう？　おいしそうじゃない？」

あたしは、路上に並ぶ屋台を見わたしながら、ママの手を引っぱった。

「ダメよ、サリナ。今回は屋台の食べ物はやめましょう。」

「つまんないの！」

あたしはほおをふくらませた。

今は夏休み。あたしはパパ、ママといっしょにU国に来ている。あたしにとっては初めての海外旅行だ。なのに着いて早々、いやなニュースが飛びこんできた。あたしたちが滞在している町で、コレラの集団感染が確認されたんだって。

「日本に帰ったら、検査を受けなきゃならないよね。ついてないなぁ。」

ママはゆううつそうな顔をしている。

「それはともかくさぁ、早く何か食べようよ。おなかすいちゃった。」

あたしたちは話し合った結果、清潔そうなカフェに入ることにした。

「町じゅうの人が感染してるわけじゃないんだから、食べるものに気をつければだいじょうぶだよ。コレラは、生水や生の食べ物から感染することがほとんどだそうだ。まずは、生水を飲まないこと。それから生の野菜もさける。」

あたしたちは、メニューをのぞきこんだ。

「じゃあ、生野菜のサラダはダメだね。」

「加熱調理されているものが安全ね。野菜と豚肉のトマト煮にしようかな。」

「あたしは野菜と魚のフライにする。あげものならまちがいないよね？」

「その通り！　ぼくはエビとホタテ貝の蒸し焼きにしよう。それから、みんなでピザを分けるのはどう？」

「いいね。あと、デザートにフルーツの盛り合わせが食べたいな。」

あたしはフルーツが大好物なんだ。

パパとママは顔を見合わせた。

「えーと……フルーツも野菜と同じように考えるべきだよな。フルーツの代わりにどこかでお菓子でも買って、ホテルに帰って食べようよ。」

「うん、わかった。」

こうしてなんとか、あたしたちは食事にありついた。


「あー、おいしかった。おなかいっぱい。」

ビンごと出てきた冷えたコーラを飲もうとすると、ママがサッと除菌効果のあるウェットティッシュをわたしてきた。ビンの飲み口をふいて……これで完璧。

ママのオレンジソーダのビンと、カチンと合わせてカンパイした。

パパはホットコーヒーを頼んだけど、途中で別にもらった氷を入れてアイスコーヒーにしてた。

「それ、うすすぎだよ。なんでそんなめんどうくさいことするの?」って聞いたら。

「水から出したアイスコーヒーの可能性もあるから」だって。なるほどね。

カフェを出てから、ナッツがいっぱい入ったバナナケーキを買ってもらって。ホテルの部屋でよく手を洗って、しっかり消毒したナイフでカットして。大きいのを2切れも食べたから、あたしは大満足。大きなベッドに横になったら、つかれてたせいか、すぐにぐっすり寝ちゃったんだ。

「サリナ、起きて！」

ゆり起こされて目を開けると、大変なことが起きていた。

パパがひどくおなかをこわして。ホテルの人に助けを求めたら、病院に運ばれることになったんだって……。

「パパ、コレラに感染したみたいなの。この部屋も消毒する必要があるからすぐ出てほしいって。」

「パパはだいじょうぶ？　まさか……。」

「もしコレラでも、早く病院にかかれば心配はないそうよ。安心して。」

よかった。あたしはふうっとため息をついた。

でも……あんなにすごく気をつけたのに、どうしてなんだろう?


主人公の一家はかなり気をつけていたはずだが、パパだけがコレラに感染してしまった。原因はどこにあったのだろうか。

解説　コレラ

パパがコレラに感染したのは、氷が原因である。コレラは食べ物から感染することが多く、感染が心配される土地では「生水、生物をとらない」「十分に加熱して食べる」が基本。主人公一家はこの条件にはかなり気をつけていたが、「コレラ菌は低温では死滅しない」ことを知らなかった。凍らせれば菌は死ぬと思いこんでいたのかもしれない。衛生環境に不安がある地域で水や氷をとる場合は、管理されたミネラルウォーターであることを確認しよう。

コレラは現代の日本ではほぼ発生していない。アフリカ、東南アジアなどの国々では今も多くの感染例があるが、症状が重くなるのは2割程度。コレラを発症すると急性腸炎を起こし、ひどくおなかをこわす。空気感染はしないが、排泄物は感染源になるので、感染者が出た場合は特にトイレまわりを重点的に消毒することが大切だ。

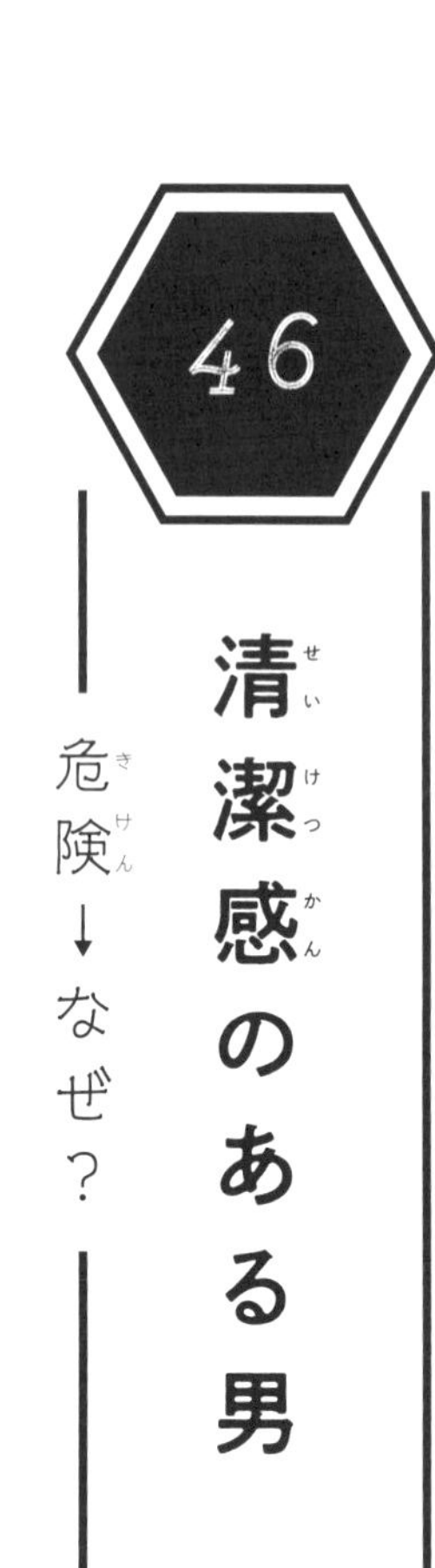

46 清潔感のある男

危険→なぜ？

「ただいま。」

美容室から帰ってきた母さんの髪型がずいぶん変わってたから、オレはちょっとびっくりした。

「ずいぶん短く切ったね。その髪、いいじゃない。」

母さんはうれしそうにニコッとした。

「うん。思いきって短くしてみちゃった。これからお弁当屋さんのパートの面接受けようと思ってるし。」

「調理の仕事って、髪が長いとダメなの？」

「きちんと結んでまとめたり、帽子の中に髪を入れたりすれば問題ないよ。あたしの場合、結ぶには中途はんぱな長さだったからね。短いと清潔感があって、印象がいいでしょ。」

母さんは、すました顔をして鏡をのぞきこんでいる。

「清潔感か……。」

オレは昼休みの女子たちの会話を思い出していた。

となりの席の……オレが気になってるモリシタさんを囲んで、女子たちは「好みのタイプの男」の話題で盛り上がっていた。オレは机につっぷして寝てるフリをしながらも、モリシタさんの発言を聞きのがすまいとしていた。

モリシタさんは話をふられると……俳優とかミュージシャンの名前を挙げたあとでこう言ったんだ。

「やっぱり清潔感って大事だよね。」

「清潔感(せいけつかん)ってなんなのかな？」

さりげない感じで言うと、母さんはオレをジロジロながめた。

「高校生ともなると、男の子もだらしない感じの子と清潔感(せいけつかん)のある子に分かれるよね。うーん、髪(かみ)はいいと思うよ。フケが出てることもないし。つめものびてないようね。そうだ、あんた、ときどきねまきのT(ティー)シャツをシャツの下に着て学校行ってるでしょ。あれは最悪ね。自分じゃ気づかないだろうけど汗(あせ)くさいよ。ハンカチは持ってる？」

「持ってるよ。」

オレはポケットからハンカチを取り出したが……それはクシャクシャだった。

「ハンカチ、毎日かえてないでしょ？」

「きょうはたまたまだよ。きのう、ポケットから出すの忘(わす)れちゃってさ。」

「けっこう前だけど、高校野球で人気のあった選手がいてね。ピッチャーマウンドで、青いハンカチで汗(あせ)をふく姿(すがた)がステキで話題になったんだよ。清潔感(せいけつかん)ある男の子ってモテるのよね。」

うっ。オレは気にしてることをズバリ言われた気がしてドキッとした。

「2日も同じハンカチ使ってるのは清潔感がないっていうか、ズバリ不潔だよ。感染症予防で手をこまめに洗ってても、ハンカチがきたないんじゃ話にならないもの。……あらっ？」

母さんは、メガネをかけて乗り出すとクスッと笑った。

「あんた、鼻毛出てるよ！」

「マジか！」

オレは鼻毛が出てる状態で、きょう一日モリシタさんのとなりの席にいたのかよ。

よし。これからは100%清潔な男に生まれ変わるんだ！

オレは洗面所に向かうと、右の鼻の穴からつき出ていた鼻毛をブチッとぬいた。

それから、引き出しをあさって毛ぬきを取り出した。

「イテッ！」

オレは左手に手鏡を持ち、鼻の穴をのぞきながらせっせと鼻毛をぬいていた。

それにしても鼻毛って、ずいぶんたくさんあるんだなぁ。

「洗面所にこもって何やってんの？」

「これからはもう絶対鼻毛が出ないようにするんだよ。」

すると、母さんはオレから毛ぬきを取り上げ、やけにきびしい口調で言ったのだ。

「ばかね。それは清潔とはちがうよ！」


鼻毛をぬくことは「清潔ではない」というお母さんの言葉には、どんな意味があるのだろうか。

解説　体の防御機能

鼻の穴から出ている鼻毛は身だしなみとして切ったほうがいいが、必要以上にぬいてはいけない。鼻毛にはゴミやウイルスの侵入を防ぐフィルターの役割があるからだ。鼻の奥はのど、肺へとつながっている。鼻毛がないと、小さなホコリやウイルスなどは体内に入ってしまう。ウイルスは鼻毛に引っかかり、鼻水に混ざって外に出される。あるいはかわいて鼻くそになるのだ。また、鼻毛には鼻の穴の中の乾燥を防ぎ、粘膜を守る働きもある。人間の体には、このように異物をブロックする機能があらかじめ備わっている。目にゴミが入ると、自然に涙が出て洗い流してくれるのもそう。涙にはリゾチームという殺菌作用を持つ成分がふくまれていて、ウイルスの侵入や感染を防ぐ働きをしているのだ。

鼻毛の手入れは専用のハサミで、鼻の穴の手前のほうの毛をカットすること。毛根から引きぬくと毛穴を傷つけ、粘膜が炎症を起こすおそれがある。

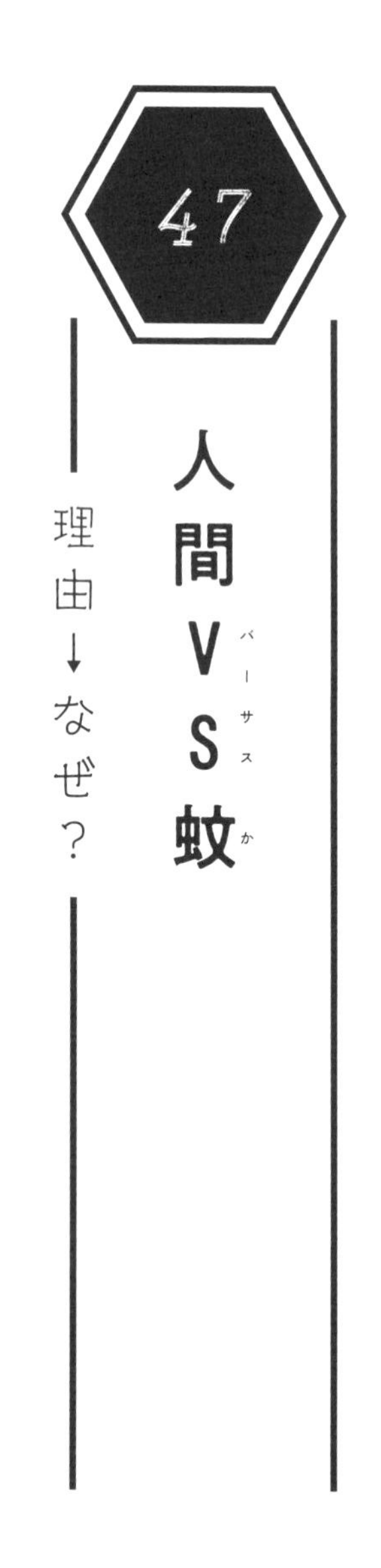

47 人間VS蚊

理由→なぜ？

「うん、きれいになった！」

あたしは満足そうにお墓を見わたした。

きょうはママといっしょにお墓まいりに来たんだ。前に来たのは春のお彼岸。

それから半年の間にものすごく繁殖した雑草をむしってきれいにしたわけ。

「いやんなっちゃう。汗でスプレーが流れちゃったかも。」

ママは虫よけスプレーを取り出して、あたしにもシュッとふきかける。

「ママってけっこう蚊に神経質だよね。」

「蚊っていうのはね、いろんな病気を運ぶ虫なの。だから、できるだけ刺されないほうがいいんだよ。マラリアでしょ、デング熱でしょ。それから、日本脳炎。」

ママはしゃべりながら、ほうきでお墓のまわりをはき始めた。

「日本脳炎ってこの間、予防接種受けたやつだよね。」

「そう。キミカは覚えてないと思うけど、小学校に上がる前にも予防注射を3回受けてるんだよ。4回目を9歳から10歳で打つのが一般的なスケジュールなの。」

「ふうん。日本脳炎って名前がこわいよね。日本にしかない病気なの？」

「最初に日本で発見されたからその名前がついたのよ。大正時代に大流行して、ワクチンができてからは下火になったけど、まったくなくなったわけじゃないの。日本でも年に何人か、感染者が出てるんだって。だから予防接種って大事なのよ。」

なんだかこわくなってきた。日本脳炎の予防接種は受けてても、蚊が運ぶウイルスはほかにもあるんでしょ？

どんなに気をつけたって、しょっちゅう蚊に刺されてるし。病気のウイルスを持ってる蚊かどうかなんて、わかりっこないし。

「蚊なんてどこにでもいるじゃん。どうしようもなくない？」

「だけど、できることがないわけじゃないのよ。蚊を発生させないように気をつけるとか……。キミカ、お花立てに水を入れてくれる？」

「はーい。」

ひしゃくで水を入れようと、お墓の上から2つのお花立てを取り上げたらチャリンと音がした。中をのぞいたら10円玉が入ってた。へんなの。だれかおさいせん箱とまちがえてるんじゃない？

2枚の10円玉をポケットに入れようとすると……ママが、ニヤッとして言った。

「キミカ、その10円玉はお花立てに入れておいてね。危険を減らすための環境作りに役立つものなんだから。」

ママの言葉にはどんな意味があるのだろうか。

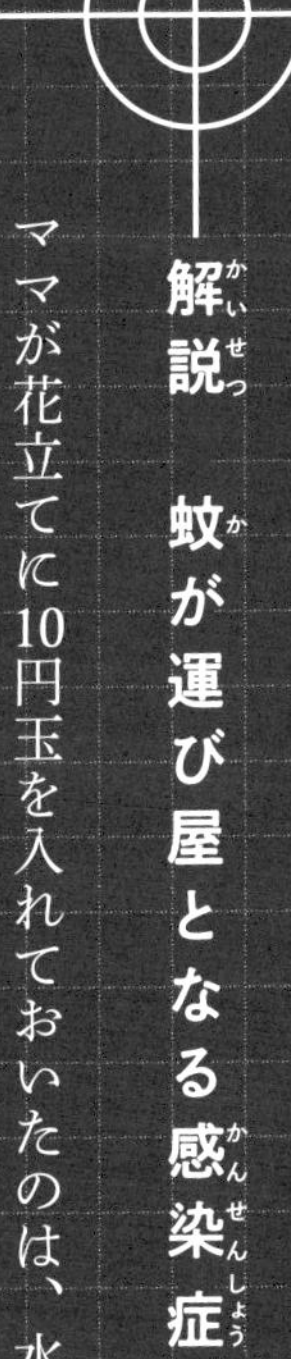

解説　蚊が運び屋となる感染症

ママが花立てに10円玉を入れておいたのは、水の中に銅の成分を溶け出させてボウフラ（蚊の幼虫）が生きられないようにするためである。蚊は日本脳炎のほか、デング熱、マラリア、ウエストナイル熱、チクングニア熱などさまざまな感染症の運び屋だ。蚊はウイルスを運ぶことで1年に約70万人もの人を殺しているというデータがあり、クマやヘビなどよりおそろしい存在ともいえるのだ。

近年、地球温暖化によって蚊が暮らしやすい環境になっている。蚊はほんの小さな水たまりがあれば卵から孵化できる。たとえば1970年代にアメリカでデング熱ウイルスをまき散らした犯人は、中古タイヤのみぞに大繁殖した蚊だ。タイヤのリサイクル業者が買い取った大量の古タイヤの内側に蚊の卵がびっしりついていたことが、あとの調査でわかっている。使っていない植木鉢や詰まった雨どいなどを放置して水たまりを作らないよう、身近な場所でも気をつけよう。運び屋を増やさないことも感染症予防につながるのだ。

48 よく効く薬

危険→なぜ？

こんな夜中にトイレを出たり入ったりしてるのはだれだろう？

そう思ってろうかに出ると、トシキが青ざめた顔でうずくまっていた。

「おなかこわしたの？　だいじょうぶ？」

「うん……かなりヤバいね、これは。母さん、水持ってきてくれる？」

わたしは台所からミネラルウォーターのペットボトルを持ってきて、トシキのそばに座った。

「何か、悪いもの食べたかなぁ？」

梅雨の季節だから、食品の管理にはかなり気をつけてる。えーと、きょうのお弁当、何入れたっけ？　でも……お弁当はお父さんも妹のサナエも同じもの食べてるけど、2人はなんともないよね。

考えをめぐらせていると、トシキはまたトイレに飛びこんだ。

出てくると、げっそりした顔で笑って言った。

「いやぁ、こんなの初めてだよ。もう出るものないんだけど。」

「家族でだれもおなかこわしてないってことは、外で食べたものに原因があるかもしれないよ。きょう、うちのごはん以外で何か食べた？」

「放課後に菓子パンを買って食べたけど。」

「この季節だし、カビが生えてた可能性はない？」

「それはないよ。学校の前のパン屋で、焼き立てのやつだったから。」

きのう、おとといと食べたものをさかのぼって聞いてみる。わたしがあやしいとにらんだのは、3日前にバイト先の仲間の送別会で行った鉄板焼きだ。そこの店では注文したものを自分で焼いて食べるシステムだという。

「もしかしたら、肉が生焼けっぽいのあったかもしれない。でも、3日も前だよ。

それだったらもっと早くおなかこわしてるはずじゃない？」

「う〜ん……。でも、症状が出るまでの潜伏期間が長い感染症もあるしねぇ。」

トシキは部屋にもどれそうもないので、ろうかに毛布を持ってきて横にならせた。よくなりますように、と念じながらおなかをさすってあげる。トシキはじょうぶでめったに病気をしないから、こんなことはずいぶん久しぶり。

トシキが小さいころ、高熱が出て眠れなかったときのことを思い出した。あのとき、トシキは苦しさに顔をゆがめながら「なんでおでこが熱くなるの？　頭の中でだれかがお湯をわかしてるの？」なんて言ってたっけ。

下痢は、なかなかおさまりそうもない。あした病院に行くにしても、この調子じゃ全然眠れないよね。

わたしは救急箱を持ってきた。おなかの薬は2種類くらいあるはずだ。

「これがいいよね。助かった！」

トシキは「すぐ効く下痢止め」と書いてある箱を見つけると、安心した顔で手に取った。

「15歳以上は1回1錠……。」

と、つぶやきながらビンのふたを開ける。

かわいそうに。つらいよね。楽になりたいよね。

そう思いながらも、わたしはトシキの手からそのビンをうばい取った。

「待って。下痢を止めたら危ないかもしれない。」

下痢を止めたら楽になるはずだが、お母さんは「下痢を止めたら危ないかも」と言う。お母さんはなぜこの薬を飲むことを止めたのだろうか。

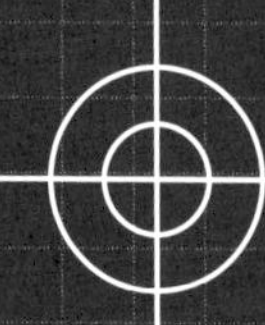

解説　生体防御反応

下痢や嘔吐は、病原体を体の外に出そうとする反応である。発熱も、体温を上げて体の中のウイルスや菌を殺そうとする反応だ。こうした「体を正常な状態にもどそうとする働き」を「生体防御反応」という。お母さんは、トシキの下痢の原因は感染症かもしれないと考えた。もし感染症だった場合、薬で下痢を抑える（腸の働きを止める）と、生体防御反応をじゃましてしまい、腸から毒素が出ていかなくなる。そのために症状が悪化したり、治りが遅くなることがあるのだ。

とはいえ、ひどい下痢なのに病院に行くまでそのままではつらい。そんなときは強い「下痢止め（腸の働きそのものを止めてしまう）」ではなく、作用がおだやかで腸の働きを整える「整腸剤」を選ぶといい。加えて、下痢のときは脱水症状を防ぐため水分をよくとることが大切だ。便が水のようだったり血が混じったりしているときは、感染症の可能性を疑ったほうがいい。

手のひらの細菌

誤解→なぜ？

うちに帰ったら、せっけんで手を洗って、それからうがい。

外に出かけるときはマスクして、きれいなハンカチとちり紙に……念のためウェットティッシュも持っていく。

お店に入るとき、出るときは入り口に置いてあるアルコールをプシュッてして手を消毒。指やつめの間もね。

新型コロナウイルスが流行り始めてから、ママに「これだけはしっかりやってね」って言われてること。あたしは毎日、完璧にやってる。

たったこれだけのこと、できて当たり前でしょ？

なのに、お姉ちゃんってさぁ、よく忘れるんだよね。中学生なのに。

うちに帰ってきて手は洗っても、スマホが鳴ったらそれに気をとられてうがいするの忘れたり。出かけるときにマスクしてなかったり。

「お姉ちゃん、忘れてるよ」って。いつもあたしが教える役なんだ。

教えてあげてるのに、返事もしなかったりするんだよ。妹のくせに生意気って思ってるんだよね、きっと。


きょうのお昼は、久しぶりにママとお姉ちゃんと、近所のカフェに行くことになったんだ。あたしはそこのサンドイッチがお気に入りなの。デザートがついてくるセットを頼んでいいって言われたから、あたしたちは大はしゃぎ。歩くみちみち、デザートをなんにするか夢中でしゃべってたんだ。

お店に着いて、ドアを開けると。

「あ、サクラちゃん！」

入り口近くの席に、お姉ちゃんの仲よしのサワちゃんが、おうちの人といっしょに座ってた。

「サワちゃん、ぐうぜんだね～。」

お姉ちゃんたら、ズカズカ入ってっちゃった。お店の入り口には消毒液のボトルがちゃんと置いてあって、「消毒にご協力お願いします」って書いてあるのに。

あたしはアルコールを手にすりこんでから、お姉ちゃんのそばに行く。

「お姉ちゃん、消毒しなきゃダメじゃん！」

お姉ちゃんはムッとした顔でふりかえった。

「いちいちうるさいなぁ。わかってるってば。」

お姉ちゃんは消毒液を手にすりこんでから言った。

「モモは自分はいつも完璧にきれいにしてると思ってるでしょ？　だけど……すごいこと教えてあげようか。モモの両手にはね、たくさんの細菌がくっついてるんだよ。手のひらだけで、何万個もの細菌がうようよしてるんだよ。手を洗っても消毒液をすりこんでもなくならない細菌がね。」

あたしは自分の両手を見た。消毒液のにおいがツーンとする。

「ウソばっかり！」

「ウソじゃないよ、科学の先生が言ってたんだからね。小学生のちびっ子にはわかんないだろうけど。」

あたしは助けを求めてママを見上げた。お姉ちゃんが言ってること、ウソだよね？

すると、ママは苦笑いしながら言ったんだ。

「サクラ、いくら本当のことだからって……あんまりモモをこわがらせたらダメでしょ。」

あたしはふるえ上がった。この手のひらに何万個も細菌がついてるなんて……!?

手のひらには消毒してもなくならない、何万個もの菌がついているというのは本当なのだろうか。

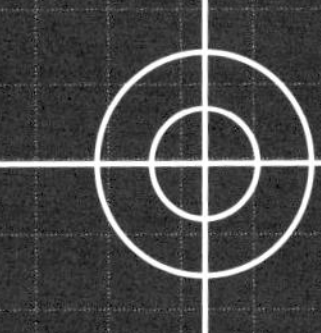

解説　常在細菌

サクラが「手には何万個もの細菌がうようよしている」というのは、「常在細菌」のこと。これは病気を引き起こす細菌ではない。サクラは人間の皮膚、口や鼻の中、消化管などにすみついている細菌のことを言ったのである。

たとえば腸の中には特にたくさんの細菌がある。ビフィズス菌、大腸菌、ウェルシュ菌をはじめ４００〜５００種類もの細菌が働き、人間の体とうまく調和している。これらの常在細菌は、外から侵入する病原体の攻撃を防ぎ、健康を保つために働いているのだ。手を洗ったり消毒したりしても完全には失われず、すぐに増殖する。手のひらの常在細菌は、病原菌がつくのを防ぐ見えないバリアのようなもの。

サクラはモモをからかってわざと誤解させるような言い方をしたが、このあとママがきちんと解説してくれたので、モモは安心したのである。

21世紀のウイルス入門

誤解→なぜ？

「その本、どう？　おもしろい？」

科学クラブの顧問のモロハシ先生は、たくさんのウイルスが紹介されている本を読んでいるミナトに声をかけた。

「うん。おもしろかったけど、こわくなっちゃいました。だって、感染症はものすごくいっぱいありますよね。それどころか突然変異して新型インフルエンザができたりするし。ワクチンが開発されて病気は治せてもウイルスはなくならないし。ウイルス自体をなくすことはできないのかな。」

「それは無理だね。地球上にはどこにでも、数えきれないほどたくさんのウイルスがあるからね。でも、ウイルスには役に立つものもあるよ。ほかの生物の細胞内に感染して増殖する、ウイルスの性質を利用した治療法もあるんだ。」

必要な遺伝子が生まれつき欠けていたり、遺伝子が正常に働かないために起こる病気がある。患者に必要な遺伝子をウイルスを加工した「乗り物」に乗せて、細胞の中に送りこむ……こんな「遺伝子治療」がじっさいに行われているのだ。

「それに、人間に悪さをしないウイルスだってたくさんあるんだ。今、人間に有益なウイルスを研究している人も増えているんだよ。」

ミナトはちょっと納得がいかないような顔をした。

「じゃあ、なんで良いウイルスの存在は知られていないんですか？」

「ウイルスが発見されたのは１８００年代の終わりごろだから、ウイルス研究は始まったばかりなんだよ。ウイルスは、病気の原因を探る中で悪者として発見された。でも、ウイルスは土の中、海水の中にもたくさん……それこそ人間が誕生する前からあって。つまり、地球の生態系を作ってきた自然のひとつなんだ。」

「先生が言ってる意味はわかります。でも、がんばって工夫して役立てることができるとしても、はっきり言って人間にとってウイルスは敵でしょ？」

モロハシ先生はミナトの気持ちがよく理解できた。感染症の脅威にさらされて生活するのは息苦しい。だから、ミナトの言い分をあまり否定したくはなかった。

（ウイルスの知識をつけて、感染症にかからないよう注意深く生活するのはいいことだ。だけど、これからの時代を生きる子たちには、最近になって解明されてきたウイルスの一面も知っていってほしい。もちろん、誤解を招いてはいけないけど。）

モロハシ先生はちょっと考えてから口を開いた。

「ミナトくん。ぼくたちだって、ウイルスがなければ今ここにはいないんだよ。」


モロハシ先生は、ウイルスは「敵」とも「味方」とも言っていない。「ぼくたちもウイルスがなければ今ここにはいない」という言葉にはどんな意味があるのだろうか。

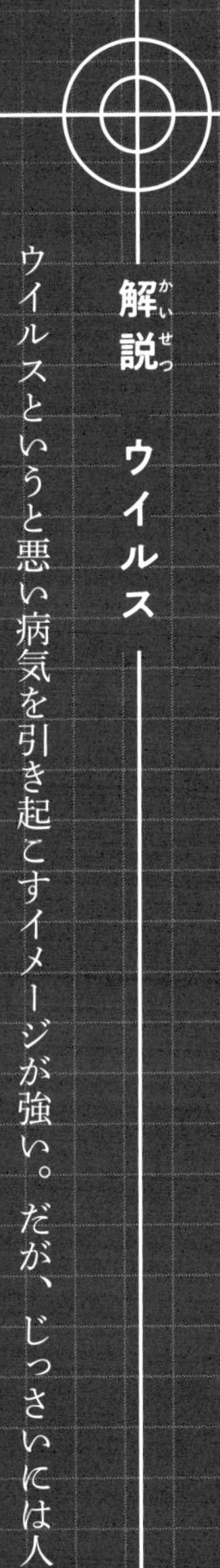

解説　ウイルス

ウイルスというと悪い病気を引き起こすイメージが強い。だが、じっさいには人間をはじめ動物や昆虫、植物などの生存を助けたり、海や陸上の環境を維持する働きをしているウイルスがたくさんある。命ある生物に感染する性質のあるウイルスは、さまざまな生物に寄生し「共生」してきた。その中には、宿主の細胞の一部となり、宿主が存続しやすくなる働きをしてきたものがあるのだ。

最近では、ウイルスは生物の進化に貢献してきたことがわかってきている。人間の今の姿があるのもウイルスのおかげ。現在、地球上にある生物は、すべて「ウイルス」があったから生まれたと言えるかもしれない。

これからのウイルス研究はさまざまな生物を対象に、ウイルスの「病気を引き起こす面」だけではない多様な性質を解明し、ウイルスとの共生のしかたを考えていくものになるだろう。

参考文献

『美しい電子顕微鏡写真と構造図で見るウイルス図鑑101』マリリン・J・ルーシンク（創元社）
『感染症と文明――共生への道』山本太郎（岩波書店）
『感染症の世界史』石 弘之（角川書店）
『疫病と世界史』ウィリアム・H・マクニール（中央公論新社）
『ホット・ゾーン　エボラ・ウイルス制圧に命を懸けた人々』リチャード・プレストン（早川書房）
『恐怖の病原体図鑑　ウイルス・細菌・真菌　完全ビジュアルガイド』トニー・ハート（西村書店）
『出番を待つ怪物ウイルス 彼らはすぐ隣りにいる』根路銘国昭（光文社）

『感染症大全　病理医だけが知っているウイルス・細菌・寄生虫のはなし』堤 寛（飛鳥新社）
『世界史を変えたパンデミック』小長谷正明（幻冬舎）
『キャラでわかる！　はじめての感染症図鑑』岡田晴恵（日本図書センター）
『知識ゼロからの東大講義　そうだったのか！　ヒトの生物学』坪井貴司（丸善出版）
『感染源　防御不能のパンデミックを追う』ソニア・シャー（原書房）
『ウイルス！細菌！カビ！原虫！　微生物のことがよくわかる「20」の話』ヘールト・ブーカールト（くもん出版）
『ウイルスVS人類』瀬名秀明、押谷仁、五箇公一、岡部信彦、河岡義裕、大曲貴夫、NHK取材班（文藝春秋）
『病と癒しの人間史　ペストからエボラウイルスまで』岡田晴恵（日本評論社）
『ナースのための図解感染の話』河村伊久雄、藤村響男／編著（学研メディカル秀潤社）
『世界を変えた微生物と感染症』左巻健男（祥伝社）

粟生こずえ

東京都生まれ。小説家、編集者、ライター。マンガを紹介する書籍の編集多数、児童書ではショートショートから少女小説、伝記まで幅広く手がける。『3分間サバイバル　失敗か成功か？　運命の選択』（あかね書房）、『トリッククラブ キミは18の錯覚にだまされる！』（集英社みらい文庫）、『かくされた意味に気がつけるか？ 3分間ミステリー 真実はそこにある』（ポプラ社）、『ストロベリーデイズ 初恋～トキメキの瞬間～』『ストロベリーデイズ 友情～くもりのち晴れ～』（主婦の友社）など。『必ず書ける あなうめ読書感想文』（学研プラス）はロングセラーを記録中。

装画　　しきみ
協力　　金田　妙
装丁　　小口翔平＋奈良岡菜摘＋三沢稜（tobufune）

3分間サバイバル
真実を見極めろ！　ウイルスパニック

2020年12月初版　2025年5月第7刷

作　　粟生こずえ
発行者　　岡本光晴
発行所　　株式会社あかね書房
〒101-0065 東京都千代田区西神田3-2-1
電話　営業（03）3263-0641
　　　編集（03）3263-0644
印刷・製本　　中央精版印刷株式会社

NDC913　253ページ　19cm×13cm

ISBN978-4-251-09614-2
乱丁・落丁本はお取りかえします。定価はカバーに表示してあります。
https://www.akaneshobo.co.jp